UN HÔTEL PARISIEN D'EXCEPTION

SHANGRI~LA

AN EXCEPTIONAL PARISIAN HOTEL

PRÉFACE DE STÉPHANE BERN

Foreword by Stéphane Bern

TEXTES DE DANE MCDOWELL ET PIERRE RIVAL

PHOTOGRAPHIES DE CHRISTIAN SARRAMON

Words by Dane McDowell and Pierre Rival, photographs by Christian Sarramon

Flammarion

Double page précédente :
Superbement restaurée,
la façade a retrouvé ses
atlantes, blasons
et médaillons d'origine.
Ci-contre : Coiffé du
chapeau que portaient
les élégants cavaliers
parisiens en 1896,
date de l'inauguration du
palais princier, le portier
accueille les visiteurs,
sous le chiffre du premier
propriétaire des lieux,
le prince Roland Bonaparte.

Preceding pages:
Beautifully restored,
the facade has regained
its original medallions,
escutcheons, and Atlantean
figures. *Facing page:* Sporting
the hat worn by elegant
Parisian horsemen in 1896,
the year that this princely
mansion was inaugurated,
the doorman greets visitors
beneath the cipher of the
estate's first master:
Prince Roland Bonaparte.

SOMMAIRE

CONTENTS

PRÉFACE
DE STÉPHANE BERN
Foreword by Stéphane Bern

Les maisons ont une âme qui défie le temps. Elles se rient des transformations qu'on leur fait subir dès lors que l'on préserve l'esprit des lieux. Et s'il est un lieu parisien qui a de l'esprit, c'est bien l'hôtel particulier de Roland Bonaparte qu'il fit bâtir en 1891 au 10 avenue d'Iéna, sur la colline de Chaillot, face à la tour Eiffel érigée pour l'Exposition universelle de 1889. Plus qu'un hôtel particulier, le palais de Roland Bonaparte est une demeure princière sur les bords de la Seine qui abrite alors les fabuleuses collections d'art — dont l'herbier privé est le plus complet au monde avec plus de 2 500 000 échantillons — d'un petit-neveu de l'empereur Napoléon Ier qui fut aussi un géographe, explorateur, botaniste, photographe… Étrange destin de ce prince de la famille Bonaparte, élevé sans un sou par une mère issue d'un milieu ouvrier, marié à l'une des plus riches héritières du XIXe siècle, Marie-Félix Blanc, dont le père François Blanc avait fait fortune en contribuant, avec le casino de Monte-Carlo et la Société des bains de mer, à l'essor économique de la principauté de Monaco. « Que vous jouiez rouge ou noir, c'est toujours Blanc qui gagne ! » disait-on alors. Morte peu de temps après avoir donné naissance à celle qui deviendra la célèbre disciple de Sigmund Freud, la psychanalyste Marie Bonaparte, Marie-Félix Blanc fait de son époux un veuf riche qui peut s'offrir un écrin à la mesure de sa bibliothèque et de ses collections de savant et d'érudit, autant

---

Homes have a soul that defies time; they scoff at mere surface changes as long as their spirit is preserved. And if there's anywhere in Paris with such a timeless spirit, it has to be Roland Bonaparte's *hôtel particulier*, built at 10, avenue d'Iéna, atop the hill known as Chaillot, in 1891—just two years after the Eiffel Tower, which Bonaparte's townhouse faces, was constructed for the 1889 World's Fair. More than just a mansion, Roland Bonaparte's palace was a princely estate on the banks of the Seine that became home to the amazing art collections—including the world's most comprehensive private herbarium, with over 2.5 million specimens—of one of Emperor Napoleon Bonaparte's grandnephews who was also a geographer, explorer, botanist, and photographer. Raised by his penniless working-class mother, this prince of Bonaparte stock had a more than humble beginning. But his fate changed when he married one of the richest women of the nineteenth century: Marie-Félix Blanc, the daughter of François Blanc and heiress to the Casino of Monte-Carlo and the Société des Bains de Mer. "Whether you play red or black, Blanc [White] always wins!" became the byword of the day. Shortly after giving birth to a little girl—Marie Bonaparte, who was to become a famous disciple of Sigmund Freud—Marie-Félix Blanc died, making her husband a rich widower who could afford a fitting haven for his library of scholarly works, as well as a magical backdrop to his worldly aspirations.

qu'un cadre magique à ses aspirations mondaines. L'hôtel Bonaparte connaît son apogée au début du XXᵉ siècle et son cabinet de curiosités attire tout ce que Paris compte d'esprits brillants et éclairés. Hélas, ce palais connaît le sort de tant de monuments parisiens ; à la mort de son père, en 1924, Marie Bonaparte se résout à vendre l'hôtel particulier à la Compagnie financière du canal de Suez qui, plus tard, au lendemain de la Seconde Guerre mondiale, le cédera à son tour à au CNCE devenu Ubifrance. Voici donc une demeure princière, avec son décor majestueux – des appartements d'apparat où tout rappelle les ascendances napoléoniennes du maître des lieux, comme ce tourbillon doré d'abeilles et d'aigles impériales, ou ces monogrammes B de Bonaparte – transformée en immeuble de bureaux. Un véritable sacrilège pour tous les amateurs d'histoire et les amoureux d'art de vivre à la française. Tout cela serait tombé dans l'oubli des temps modernes si le groupe hôtelier Shangri-La Hotels and Resorts n'avait eu l'ambition un peu folle de sauver ce palais de la poussière du temps et de la bureautique. Certes, le palais a été entièrement repensé pour répondre aux exigences modernes d'un hôtel de luxe et aux normes d'un palace parisien, mais il a retrouvé sa splendeur passée, il a renoué avec le lustre d'antan, il a été restauré, mieux, restitué dans son esprit d'origine, grâce notamment au travail exceptionnel de l'architecte Richard Martinet et à l'architecte d'intérieur Pierre-Yves Rochon. Combien de monuments historiques sont ainsi accessibles au public venu du monde entier ? Loin d'être consigné à une quelconque destination de musée, l'hôtel Bonaparte est une maison ouverte, vivante, festive. Désormais, ce sont tous les résidents de l'hôtel Shangri-La qui seront un peu les hôtes du prince Roland Bonaparte. On ne peut que se réjouir de cette triple victoire : Paris compte un palace de plus, un monument historique merveilleusement restauré est ouvert à tous, et enfin, une demeure princière a retrouvé son âme pour que tous ceux qui y résideront puissent délicieusement en ressentir la chaleur de l'accueil et découvrir la magnificence d'un décor inscrit au patrimoine historique de la capitale depuis sa restauration.

The Hôtel Bonaparte reached its zenith in the early twentieth century when its showcase of wonders attracted the leading lights and minds of Paris. But the mansion soon suffered the fate that befalls so many Parisian monuments. When her father died in 1924, Marie Bonaparte decided to sell the townhouse to the Suez Canal Company, which in turn sold it to the CNCE (now Ubifrance, the French Trade Comission) on the eve of World War II. And so a princely residence complete with majestic décor—like its state apartments' gilded swirls of imperial eagles and bees, or the "B" monograms for Bonaparte—was transformed into an office block. What an anathema to history buffs and aficionados of the French *art de vivre*! Were it not for Shangri-La Hotels and Resorts' somewhat preposterous ambition to salvage the mansion from office automation and the dusts of time, the master of the house's Napoleonic ancestry would probably have fallen into modern-day oblivion. Although the building has been thoroughly redesigned to fill today's criteria for a luxury hotel and meet the standards of a luxurious Parisian "palace," it has regained its past splendor and glory. Thanks largely to the exceptional expertise of architect Richard Martinet and interior designer Pierre-Yves Rochon, the Hôtel Bonaparte has not only been restored but recreated in its original spirit, making it one of France's only National Heritage Sites that is truly accessible to visitors from around the world. Far from being consigned as a kind of museum, the Hôtel Bonaparte is an interactive, alive, and festive establishment. Any guest who stays at Shangri-La Hotel, Paris is, in a sense, a guest of Prince Roland Bonaparte. This victory is a cause for celebration on three accounts: Paris has gained another luxury hotel; a beautifully restored historic building is open to all; and a princely residence has regained its soul, so that all who stay there can enjoy the exquisitely warm welcome and magnificent setting of a piece of the French capital's historic heritage.

SHANGRI-LA OU LE PARADIS

Shangri-La, a taste of paradise

Double page précédente :
Se glissant dans le hall
de l'hôtel, la lumière caresse
le damier de marbre.
Ci-contre : Détail du papier
peint, réalisé d'après une
ravissante soie chinoise
du XVIIIe siècle, qui court
sur les murs du restaurant
La Bauhinia. Au pied de
l'arbre à pivoines, fleurit
la fameuse orchidée à cinq
pétales, la Bauhinia.

Preceding pages: Gliding
into the hotel's lobby,
light caresses the checkered
marble. *Facing page:* Detail
of the wallpaper, styled
on a beautiful eighteenth-
century Chinese silk,
that runs around the walls
of La Bauhinia restaurant.
At the foot of the tree
peony blooms the famous
five-petaled orchid,
the Bauhinia.

Nous portons tous au cœur la nostalgie d'un lieu où nous serions à l'abri des vicissitudes du temps, un lieu préservé et enchanteur où nous pourrions consacrer notre vie à ce qui importe le plus, l'amour, la sagesse, la réalisation de soi. Au cours de nos voyages, il nous arrive de découvrir, au détour d'une rue une maison, à la vue d'un paysage un monument, dont nous réalisons soudain que nous les avons déjà vus, sinon en vrai du moins en rêve, et que là se trouve la clé dont dépend notre bonheur. Ce n'est, le plus souvent, qu'une impression. Elle passe aussi vite que nous l'avons éprouvée. Nous reprenons notre route, happés par les sollicitations de notre vie quotidienne, mais il nous reste cette image d'un ailleurs dont nous aurions pu faire notre demeure. Le fondateur et propriétaire du groupe d'hôtels Shangri-La avait probablement en tête l'idée d'un lieu pareil quand il créa un hôtel de luxe à Singapour en 1971. Alors qu'il cherchait un nom pour cet hôtel, qui sera le premier d'une longue chaîne, il rencontra l'un de ses amis parisiens qui lui offrit un livre de James Hilton et lui suggéra d'adopter pour ses établissements le nom du lieu paradisiaque mythique où se déroule l'action de ce roman en forme d'utopie : Shangri-La.

We all long to be somewhere that is immune to the vicissitudes of time: someplace welcoming and secluded, where we can devote ourselves to the things that matter most: love, wisdom, and self-fulfillment. We might come across a house at a bend in the road or a monument on the horizon that gives us a sudden sense of déjà-vu—at least in a dream if not in reality. We sense that we have found the place that holds the key to our happiness. More often than not, it is merely a fleeting sensation: it vanishes as quickly as it comes, and we continue on with our journey, caught up in the demands of everyday life. Yet the image of this other place that we could have called home lingers. The founder and owner of Shangri-La Hotels and Resorts group, probably had such a place in mind when he created his luxury hotel in Singapore in 1971. One of his Parisian friends gave him a book by James Hilton when he was looking for a name for the hotel, which was to be the first in a long chain. The friend suggested that he name it after the mythical paradise that forms the backdrop to the novel's action: *Shangri-La.*

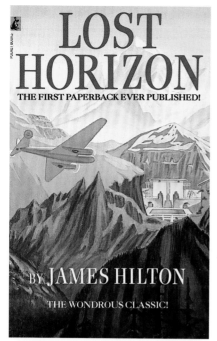

Ci-dessus, ci-contre et pages suivantes :
Publié en 1933, *Lost Horizon*,
le roman de James Hilton, évoque
un paradis terrestre, baptisé
Shangri-La. Un exemplaire
de l'ouvrage se trouve dans chaque
chambre de l'hôtel. Quatre ans
après sa parution, le livre adapté
à l'écran par Franck Capra contribue
à la popularité du mythe (photo
d'une scène du film, page 17).

Above, facing page, and following pages:
Published in 1933, James Hilton's
novel, *Lost Horizon*, conjures up an
earthly paradise called Shangri-La.
There is a copy of the book in every
room of the hotel. Four years after
its publication, Frank Capra's film
adaption of the book contributed
to the popularity of the myth (picture
of a scene from the movie, page 17).

Publié pour la première fois en 1933, le roman de James Hilton, *Lost Horizon* (« Horizon perdu ») a connu un succès mondial en décrivant avec beaucoup de cohérence un monde imaginaire et enchanteur autour d'une vallée perdue du Tibet. Trois hommes, deux Anglais et un Américain, et une femme missionnaire, elle aussi anglaise, embarquent à bord d'un avion du gouvernement du Raj britannique qui est détourné et se pose en catastrophe sur les hauteurs désolées des hauts plateaux himalayens. Les quatre naufragés sont sur le point de désespérer quand, inopinément, apparaît une caravane dont le chef, Chang, un lettré chinois, leur propose l'hospitalité d'une cité extraordinaire, Shangri-La.

Dès son arrivée dans ce site exceptionnel, Hugh Conway, la figure centrale du roman, un dilettante cultivé, a la soudaine intuition qu'il a « enfin atteint un endroit qui est un but en soi, une finalité ». Il en goûte la beauté, au pied du Karakal, montagne à la silhouette aussi emblématique que celle du mont Cervin, dominant une vallée luxuriante et fertile où s'affaire un peuple heureux et tranquille. Il en admire les constructions (« Un groupe de pavillons colorés s'accrochaient à la pente de la montagne sans rien de la sinistre résolution d'un château du Rhin, mais plutôt avec la délicatesse accidentelle de pétales de fleurs perchées sur un rocher. ») et s'étonne d'y découvrir une bibliothèque et des trésors d'art aussi riches que si Shangri-La se trouvait à Oxford où il a fait ses Humanités. Et il en apprécie, bien sûr, le confort, qui marie le traditionnel avec les aménités d'une installation étonnamment moderne pour un lieu aussi reculé. Mais il en perçoit surtout, à travers les paroles de son guide, Chang, le caractère de sanctuaire où les valeurs de tolérance et de paix sont préservées, à l'abri du chaos du monde. À ce programme vient s'ajouter la perspective d'une jeunesse quasi éternelle, car l'air de Shangri-La procure une sorte de bain de jouvence à celui qui le respire. Il n'en faut pas plus pour que Conway se décide finalement, au terme du roman, à disparaître, ou plutôt à se transfigurer, au sein de ce paradis terrestre.

First published in 1933, James Hilton's novel, *Lost Horizon*, with its highly consistent descriptions of an entrancing fantasy world based on a lost valley in Tibet, was a worldwide success. Three men—two Englishmen and an American— and a female British missionary board a British Raj government plane that is hijacked before it crash lands on the desolate high plains of the Himalayas. The four survivors are on the verge of despair when suddenly a caravan appears headed by Chang, a Chinese man of letters, who invites them to the utopian Shangri-La.

When he arrives in this extraordinary city, the main character, Hugh Conway, a cultured dilettante, has the sudden feeling "of having reached at last some place that was an end, a finality." He savors its beauty, at the foot of the Karakal, a mountain with a silhouette as iconic as that of the Matterhorn, overlooking a lush, fertile valley where happy and peaceful townsfolk go about their business. He admires the buildings there: "A group of colored pavilions clung to the mountainside with none of the grim deliberation of a Rhineland castle, but rather with the chance delicacy of flower petals impaled upon a crag." And he marvels at finding as rich a collection of books and artwork as if Shangri-La had been located in Oxford, where he had studied. Conway also, understandably, appreciates the comforts of Shangri-La, where traditional luxuries combine with amenities of surprisingly modern standing for such a remote place. But above all, in the words of his guide, Chang, Conway becomes aware of the values of peace and tolerance that prevail in the city, far away from the chaos of the outside world. With the added allure of air that promises eternal youth to those who breathe it, Conway needs no further convincing at the end of the novel to disappear, or rather to be transfigured, within this earthly paradise.

The 1937 release of Frank Capra's eponymous movie further fueled the popular myth of Shangri-La. Shot on a Himalayan-style set, *Lost Horizon* exuded the elegance of a quiet utopia that must have been quite appealing at a time when America felt that she was becoming the Noah's Ark of all of the world's democracies. It is also worth noting that President Franklin D. Roosevelt

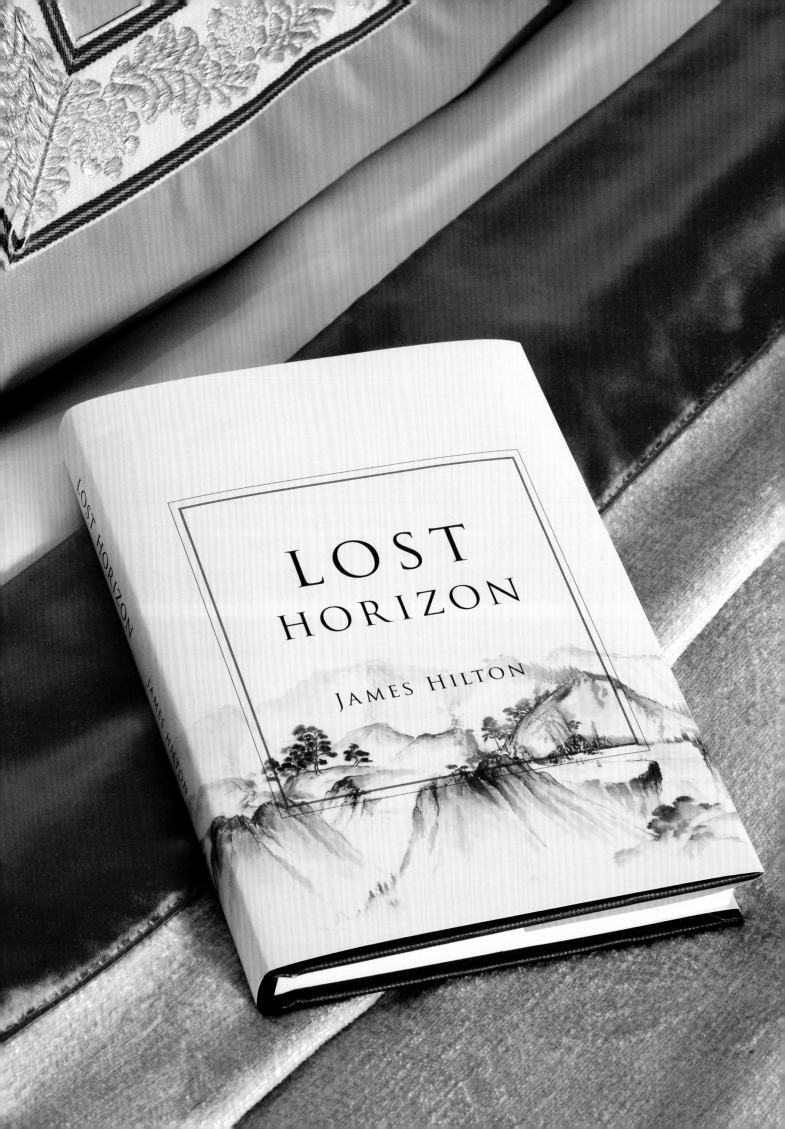

La sortie en 1937 du film homonyme de Frank Capra, tiré du roman de James Hilton, contribua encore à la popularité du mythe de Shangri-La. *Lost Horizon*, tourné dans un Himalaya de studio, n'en irradie pas moins avec beaucoup d'élégance un sens de l'utopie tranquille qui devait être plutôt rafraîchissant en cette époque où l'Amérique pressentait qu'elle allait devenir l'arche de Noé de toutes les démocraties du monde. Il est révélateur, d'ailleurs, que l'un des spectateurs les plus enthousiastes de ce film ait été le président Franklin D. Roosevelt lui-même. Il donna même le nom de Shangri-La à sa retraite présidentielle construite dans le Maryland, que le président Eisenhower rebaptisera Camp David, en référence au prénom de son petit-fils.

Cette notion d'hospitalité paradisiaque qui transparaît aussi bien dans le livre de James Hilton que dans le film de Frank Capra reste attachée au nom de Shangri-La. Depuis longtemps déjà, le Tibet a cessé de faire rêver Occidentaux comme Asiatiques. Mais le rêve d'un lieu réellement inaccessible où il serait possible, sinon d'obtenir l'immortalité, du moins de faire une retraite réconfortante et de renouer avec les valeurs qui fondent le sens de l'existence, ce rêve reste toujours d'actualité. Curieusement, il s'incarne aujourd'hui dans des hôtels de luxe et des *resorts* qui offrent à leurs clients la possibilité de se ressourcer et de s'offrir une parenthèse qui s'apparente, plus ou moins, à celle que vivent Hugh Conway et ses compagnons. Le groupe Shangri-La Hotels and Resorts, avec ses standards typiquement asiatiques de service de luxe, marque de ce point de vue la conjonction du mythe décrit par James Hilton avec une réalité tangible, celle d'une nouvelle manière de concevoir l'hôtellerie.

Depuis quarante ans, en Asie d'abord, dans les Amériques ensuite, au Moyen-Orient, en Europe aujourd'hui, le groupe qui porte ce nom de rêve prouve qu'il est possible de vivre à la hauteur d'un mythe. L'ouverture à Paris, dans un palais qui a appartenu à la famille Bonaparte, d'un des plus beaux hôtels de la capitale, démontre que l'utopie de Shangri-La, indépendamment du lieu où il se transporte, est plus que jamais vivante, comme l'est également l'aspiration que nous portons tous au cœur de trouver enfin, sur cette terre, un havre de paix…

himself was one of the film's greatest fans. He even gave the name "Shangri-La" to the presidential retreat he had built in Maryland, which has been known as Camp David ever since President Eisenhower renamed it after his grandson.

The notion of heavenly hospitality running through both James Hilton's book and Frank Capra's film has become inseparable from the name "Shangri-La." Though Tibet may have long ceased to be the stuff of dreams for citizens of the East and West alike, another dream lives on: that of a truly inaccessible place where it is possible—if not to become immortal—to find comfort in retreat and to reconnect with the values underpinning the meaning of life. Strangely enough, today this dream has taken the form of luxury hotels and resorts that offer guests a chance to pause and reenergize like Hugh Conway and his companions. In this sense, the Shangri-La Hotels and Resorts group, with its typically Asian standards of luxury service, stands at the juncture of the myth described by James Hilton and the palpable reality of a new approach to the hotel industry.

For the past forty years—first in Asia, then in America, in Middle East, and now in Europe—the group bearing this mythical name has proved that it is possible to live a dream. The opening of one of the French capital's finest hotels in a palatial building that once belonged to the Bonaparte family shows that the utopia of Shangri-La, regardless of where it may lie, is as alive as ever, as is the heartfelt aspiration of each one of us to find, at last, a haven of peace on earth.

UN PALAIS PRINCIER
AU CŒUR DE LA VILLE
A princely estate at the heart of the city

Le 17 décembre 2010, en présence de personnalités officielles, le propriétaire du groupe hôtelier international Shangri-La Hotels and Resorts inaugurait son premier hôtel de luxe parisien, installé dans l'ancienne demeure construite à la fin du XIXᵉ siècle par un petit-neveu de Napoléon Iᵉʳ, le prince Roland Bonaparte. Une cérémonie traditionnelle chinoise s'était déroulée plus tôt dans l'intimité. C'est un beau symbole que cette rencontre de l'Extrême-Orient et de l'Occident à Paris, face au musée Guimet, le musée national des Arts asiatiques.

Roland Bonaparte, alors qu'il portait un nom célèbre, n'eut dans sa jeunesse que les désagréments de cette parenté, sans aucun des privilèges. Son père, Pierre Napoléon Bonaparte, était le fils du frère de Napoléon Iᵉʳ, Lucien Bonaparte. L'Empereur, durant son règne, avait toujours tenu à l'écart ce frère brillant. Lucien Bonaparte avait été l'artisan du Concordat entre l'Église catholique et la France. Ce rôle lui permit de survivre à la chute de Napoléon Iᵉʳ et de finir sa vie à Rome, protégé par le pape. Son fils, Pierre Napoléon, plus aventurier que personnage officiel, fut impliqué dans bien des scandales,

On December 17, 2010, in the presence of officials, the owner of the international Shangri-La Hotels and Resorts group inaugurated his first Parisian luxury hotel, the former residence of one of Napoleon I's grandnephews, Prince Roland Bonaparte, who had the mansion built in 1896. A private traditional Chinese ceremony had taken place earlier in Paris—a fitting symbol for the joining together of East and West, right across from the Musée Guimet, the French National Museum of Asian Arts.

Despite his famous name, in his youth, Roland Bonaparte suffered only the inconveniences of his ancestry, with none of the privileges. His father, Pierre Napoleon Bonaparte, was the son of Napoleon I's brother, Lucien Bonaparte. During his reign, the emperor had always kept his distance from this brilliant sibling. Lucien had engineered the Concordat of 1801 between the Catholic Church and France. This role helped him survive the fall of Napoleon I and live out the end of his days in Rome, under the Pope's protection. His son, Pierre Napoleon, more of an adventurer than an official figure, was involved

dont le pire, aux yeux de sa famille, fut son mariage (religieux mais pas civil) avec la fille d'un ouvrier parisien, Éléonore-Justine Ruffin, qui lui donna un premier enfant, Roland.

Le couple se sépara après la chute du Second Empire, Éléonore-Justine emmenant ses enfants vivre à Londres. Jamais acceptée dans la famille impériale, en raison de ses origines plébéiennes, elle ouvrit un magasin de mode à l'enseigne de « Princesse Pierre Bonaparte », ce qui lui valut une nouvelle réprobation, d'autant qu'elle ne tarda pas à faire faillite. La famille revenue à Paris, l'entreprenante Éléonore-Justine se voue désormais à l'éducation de son fils Roland. Les études au lycée Saint-Louis développent le goût du jeune homme pour les sciences naturelles. Naturellement porté, par atavisme familial, à la carrière des armes, il intègre l'École spéciale militaire de Saint-Cyr et en sort en 1879 avec le grade de sous-lieutenant. Le métier de soldat n'étant pas des plus lucratifs, sa mère songe à l'établir et jette son dévolu sur Marie-Félix, la fille de François Blanc, le richissime fondateur du casino de Monte-Carlo. Le mariage a lieu en 1880, et apporte à Roland sinon la fortune, Marie-Félix reste seule gestionnaire de son patrimoine, du moins la certitude de ne pas connaître dans sa vie les aléas qui ont terni celle de ses parents. Roland Bonaparte n'en rejoint pas moins son poste de sous-lieutenant dans l'infanterie et sert dans l'armée française. Deux ans à peine après son mariage, son épouse donne naissance à un enfant, Marie, et décède peu après l'accouchement. Ce coup du sort fait de Roland Bonaparte un homme riche. En dépit de cette fortune inopinée, il n'en continue pas moins de servir son pays, jusqu'en 1886 du moins, date à laquelle une loi interdit aux descendants des familles ayant régné sur la France de porter l'uniforme.

Écarté de la vie publique, exclu d'une carrière militaire où il aurait pu briller, Roland Bonaparte va consacrer le reste de sa vie à son autre passion : les études de géographie et de sciences naturelles. Il est maintenant à la tête d'un patrimoine important et songe pour lui, pour sa fille et pour sa mère à qui il a confié l'éducation de Marie, à un établissement parisien qui lui permettrait

in a number of scandals, the worst of which—in the eyes of his family—being his Catholic marriage (without a civil ceremony) to the daughter of a Parisian laborer, Éléonore-Justine Ruffin, who bore him his first child, Roland.

The couple separated after the fall of the Empire, at which point Éléonore-Justine took her children and moved to London, where she opened a dress-making store called Princesse Pierre Bonaparte. Having never been accepted by the imperial family on account of her plebeian origins, Éléonore-Justine only reaped further disapproval with this business venture—not to mention bankruptcy. The family returned to Paris, where this enterprising single mother devoted herself to the education of her son Roland. His studies at the Lycée Saint-Louis brought out the young man's taste for natural sciences. Instinctively inclined, through family atavism, toward a military career, he entered the École Spéciale Militaire de Saint-Cyr and graduated in 1879 with the rank of second lieutenant. Being a soldier was not the most lucrative of trades, so his mother strove to see him settled. She set her sights on Marie-Félix, the daughter of François Blanc, the fabulously wealthy founder of the Casino de Monte-Carlo. The wedding took place in 1880, and while it did not bring Roland fortune—Marie-Félix remained the sole administrator of her estate— it at least refurbished his family's tarnished image after the vagaries of his parents' lifestyle. Yet, for all that, Roland Bonaparte still took up his second lieutenant's posting in the infantry and served in the French army. And after barely two years of marriage, his wife gave birth to a daughter, Marie, and died shortly afterwards. This twist of fate made Roland Bonaparte a rich man, but in spite of this unexpected fortune, he continued to serve his country—at least until 1886, when a law was instated that prohibited descendants of French rulers from wearing the uniform.

Estranged from public life and excluded from what could have been a brilliant military career, Roland Bonaparte was to devote the rest of his life to his other passion—geography and natural sciences. Now at the head of an important estate, he had visions for himself, his daughter, and his mother to

à la fois de mener la vie mondaine conforme à son rang de descendant de l'empereur Napoléon Ier et surtout d'abriter la bibliothèque et les collections qu'il commence alors à constituer.

Le quartier de la colline de Chaillot est alors en pleine phase d'urbanisation. Napoléon Ier avait rêvé d'y créer, en haut de la colline, un palais pour son fils, le roi de Rome. La retraite de Russie l'oblige à renoncer à ce plan. Viendra le temps des grands travaux d'urbanisme du baron Haussmann, sous le règne de Napoléon III, qui voit se dessiner l'avenue et la place d'Iéna dont l'ouverture est ordonnée par un décret impérial de 1858. Le nouveau quartier domine le pont du même nom, créé lui en 1807 pour faire défiler les troupes victorieuses de Napoléon Ier vers l'esplanade du Champ-de-Mars. À partir des années 1870, le lotissement de cette zone, somme toute abrupte, commence autour d'avenues et de rues nouvellement tracées : l'avenue d'Iéna en 1858, l'avenue du Président-Wilson (à l'époque, avenue de l'Empereur) en 1864 et enfin la rue Fresnel en 1877. Tout ce quartier est destiné à un habitat résidentiel et même, peut-on dire, compte tenu de l'emplacement exceptionnel en bordure de la Seine, aristocratique. Des immeubles et des hôtels particuliers commencent à s'édifier dans le quartier au début des années 1880 et l'urbanisation reprend en 1891, avec la vente par les promoteurs de deux parcelles d'un seul tenant de 2 706 m², entre l'avenue d'Iéna et la rue Fresnel, à Roland Bonaparte. Le terrain a encore pris de la valeur (il sera négocié au prix d'un peu plus d'un million de francs de l'époque, soit environ 3,6 millions d'euros d'aujourd'hui) car, de l'autre côté de la Seine, s'élève maintenant la tour Eiffel, seul témoignage restant de l'imposante Exposition universelle qui vient d'avoir lieu à Paris en 1889, pour le centenaire de la Révolution française.

Dans les Mémoires de Marie Bonaparte, nous pouvons lire la description savoureuse de la nouvelle acquisition de la famille :

« Voilà le terrain derrière une palissade. C'est un étroit champ verdoyant entre, de droite et de gauche, des maisons basses et la tour Eiffel au fond.

---

whom he entrusted Marie's education. He dreamed of creating a Parisian residence that would allow him to lead a social life in keeping with a descendant of Emperor Napoleon I, all the while housing the library and collections that he was beginning to amass.

At the time, the district around the Chaillot hill was in the throes of urban development. Napoleon I had originally dreamed of building a palace on the top of the hill for his son, the king of Rome, but the French retreat from Russia forced him to abandon his plans. Then along came Baron Haussmann's great urban overhaul during the Napoleon III's reign, bringing with it avenue and place d'Iéna, whose opening was ruled by imperial decree in 1858. The new district overlooked the bridge of the same name, created in 1807 for Napoleon I's victorious troops to parade towards the Champ de Mars esplanade. Then in the 1870s, the subdivision of this undeniably steep district began with the laying out of new avenues and streets: avenue d'Iéna in 1858, avenue du Président Wilson (avenue de l'Empereur at the time) in 1864, and lastly rue Fresnel in 1877. The entire district was intended as a residential area—an aristocratic one even, given its exceptional location along the Seine. Construction of apartment buildings and townhouses began in the early 1880s; urban development continued in 1891, with the sale by real estate promoters of two contiguous plots measuring 29,130 square feet (2,706 m²), between avenue d'Iéna and rue Fresnel, to Roland Bonaparte. The land (priced at just over one million French francs at the time, or the equivalent of about 3.6 million euros today) later increased in value with the construction of the Eiffel Tower—the only remaining sign of the great World's Fair held in Paris in 1889 to mark the centenary of the French Revolution—across the Seine.

In Marie Bonaparte's *Mémoires*, there is a delightful description of the family's new acquisition:

The plot lies behind a fence. It is a narrow, green field, flanked to the right and left by low-lying houses, with the Eiffel Tower as backdrop.

Ci-dessous : Photographie de la princesse Pierre Bonaparte, mère du prince Roland. Rejetée par la famille impériale, elle mena une existence difficile après sa séparation d'avec Pierre.
Double page suivante : À gauche, portraits de Lucien et de Pierre Bonaparte, grand-père et père du prince Roland. À droite, Marie et son père.

Below: Photograph of Princess Pierre Bonaparte, Prince Roland's mother. Rejected by the imperial family, she lived quite meagerly after her separation from Pierre.
Following pages, left to right: Portraits of Lucien and Pierre Bonaparte (Prince Roland's grandfather and father, respectively) and Marie and her father.

Lucien Bonaparte

Pierre Bonaparte

Marie Bonaparte

Roland Bonaparte

Bonne-Maman lève la tête, regarde la tour Eiffel d'un air inquiet et dit : "Elle est bien près ! Pourvu qu'un jour elle ne tombe pas sur notre maison […]." Nous passons la palissade. Le terrain dévale non loin à pic vers la rue Fresnel et la Seine, mais la pente aussi est verdoyante. De petites fleurs, des pâquerettes, émaillent l'herbe. Non loin, attachée à un piquet, une chèvre blanche broute l'herbe et les fleurs. Elle lève la tête et nous regarde, sa fine tête aux cornes dressées un peu de côté, avec ses yeux d'or obliques. »

Sur ce terrain assez biscornu, dont le principal défaut, comme le signale une revue de l'époque, est d'offrir un impressionnant dénivelé de 41 mètres entre la rue Fresnel et l'avenue d'Iéna et de 15 mètres entre les deux rez-de-chaussée, Roland Bonaparte envisage de bâtir une demeure qui témoigne à la fois du faste de sa condition princière, concession aux ambitions de sa mère, et qui puisse loger sa bibliothèque et ses collections. Le choix de l'architecte se porte assez logiquement sur Ernest Janty, architecte mondain, bon technicien, qui a conçu notamment le pavillon de la principauté de Monaco à la récente Exposition universelle de Paris. Janty est un pur produit de l'École des beaux-arts de Paris, alors à l'apogée de son influence au niveau mondial. Il a été l'élève, puis le disciple, d'Hector-Martin Lefuel à qui l'on doit, sous le règne de Napoléon III, l'achèvement du Louvre avec l'aile de Rohan et le pavillon de Marsan. De Lefuel, Janty a hérité tout un vocabulaire architectural, néo-classique dans ses effets décoratifs, employant des formules tirées de la Renaissance italienne et du baroque, tels que des détails de façade légèrement hors d'échelle, des sculptures audacieuses supportant des consoles, des corniches richement ornementées, des festons et des enrichissements dont la profusion vaudra au style Beaux-Arts la qualification « d'architecture parlante ». Une observation attentive, avenue d'Iéna, de la façade du palais de Roland Bonaparte permet d'en retrouver sans peine certains des éléments, dont des sculptures dues au ciseau de Houguenade qui avait lui aussi œuvré au Louvre : clefs sculptées à visage d'homme barbu à

Grandmother looks up, beholds the Eiffel Tower with a worried look, and says, "It is very close indeed! Let's hope that it won't fall down on our house one day [. . .]." We cross the fence. There is a steep drop not faraway toward the rue Fresnel and the Seine, but the slope is similarly verdant. The grass is dotted with little flowers, daisies. Nearby, attached to a stake, a white goat grazes on the grass and flowers. It raises its head and looks at us with its slanting golden eyes, its handsome head with its erect horns slightly to one side.

It was on this somewhat rambling plot—whose main defect, as highlighted by a periodical at the time, was the impressive vertical drop of almost 135 feet (41 m) between rue Fresnel and avenue d'Iéna, and of almost 50 feet (15 m) between the two ground-floor levels—that Roland Bonaparte planned to build a home showcasing both the splendor of his princely name (a concession to his mother's ambitions) and his library and collections. The logical choice for an architect was Ernest Janty, a socialite and skilled technician, whose main designs included the pavilion of the Principality of Monaco at Paris' recent World's Fair. Janty was a pure product of the École des Beaux-Arts de Paris, then at the height of its global influence. He was the student and subsequently the disciple of Hector-Martin Lefuel, to whom we owe the completion of the Louvre with the Rohan Wing and the Pavillon de Marsan, during the reign of Napoleon III. From Lefuel, Janty inherited a complete architectural method, neoclassical in its decorative effects, and with formulae taken from the Italian Renaissance and the Baroque period, such as slightly oversized facade details, bold sculptures used to support consoles, richly ornamented cornices, festoons, and other flagrant enhancements that gave way to the term *architecture parlante* ("talking architecture") to describe the Beaux-Arts style. Careful observation of the avenue d'Iéna facade of Roland Bonaparte's edifice easily reveals some of these elements, such as the sculptures carved by Houguenade, who had also

la croisée du rez-de-chaussée des deux avant-corps en saillie, chapiteaux des piédroits des balcons ornés de mufles de lion, atlantes supportant l'entablement du troisième étage. Ils paraissaient à l'époque soutenir les combles, aujourd'hui disparues suite au rehaussement de l'immeuble en 1929, mais qui étaient alors ornées d'œils-de-bœuf richement ouvragés et reliés entre eux par une petite balustrade.

Cette importance de l'aspect décoratif ne doit pas nous faire oublier que l'École des beaux-arts se distinguait également par l'attention accordée au caractère fonctionnel de la distribution des espaces. Richard Martinet, l'architecte chargé par le Shangri-La Hotel, Paris de la restauration de l'hôtel de Roland Bonaparte, confie ainsi toute son admiration pour le travail d'Ernest Janty qui, dit-il, « permettait de faire circuler partout la lumière ». Car, dans le cas de la parcelle achetée par Roland Bonaparte, Janty devait surtout tenir compte du dénivelé important du terrain et s'accommoder de cette construction sur la colline qui fait aujourd'hui encore le charme et la qualité de cet emplacement. D'emblée, il choisit de construire deux immeubles reliés l'un à l'autre « par une construction intermédiaire dans laquelle il disposa les principales circulations de l'hôtel : les vestibules, le grand escalier d'honneur et les escaliers secondaires ». À noter que la rotonde, au-dessus de l'escalier d'honneur, s'ouvrait alors sur le jardin d'hiver, offrant ainsi à travers les verrières du troisième étage une vue directe sur le ciel. De cette manière était rattrapé le désaxement entre les deux immeubles, dont l'un avec une façade haute de 26 mètres donnait sur l'avenue d'Iéna, l'autre orienté vers la Seine dominait la rue Fresnel du haut de ses 42 mètres. Ainsi deux cours pouvaient trouver à se loger pour éclairer l'ensemble des circulations. L'une était ceinte de quatre galeries sur deux niveaux, qui permettaient au prince de loger au premier étage son imposante bibliothèque et au deuxième l'appartement de sa famille et de sa fille avec, pour marquer la chambre de la jeune princesse Marie, un somptueux

worked on the Louvre: keystones carved with the face of a bearded man at the ground-floor juncture of the two projecting front annexes; capitals of the piers of the balconies decorated with lions' muzzles; Atlantean figures bearing the fourth-floor entablatures. Prior to the building's elevation in 1929, they appeared to be supporting the roof; they were adorned with richly-carved *œil-de-bœuf* windows and linked together by a small balustrade.

The decorative inclination of the École des Beaux-Arts should not, however, detract from its emphasis on the functional nature of spatial distribution. Richard Martinet, the architect commissioned by Shangri-La Hotels and Resorts for the restoration of Roland Bonaparte's mansion, declares his admiration for Ernest Janty's work in that it "allowed light to circulate throughout." For the plot purchased by Roland Bonaparte, Janty had to take the significant differences in elevation into account and come to terms with the building's hilly location, which remains part of the site's charm and distinction today. From the outset, he decided to construct two buildings, linked together "by an intermediary construction that he would use to house the hotel's main circulation spaces— the lobbies, the grand staircase, and other staircases." Special mention should be made of the rotunda, above the main staircase, which at the time opened onto the winter garden, thereby affording a direct view of the sky through the fourth-floor windows. This method served to counter the offset between the two buildings—one with a facade of 85 feet (26 m) overlooking avenue d'Iéna, the other facing the Seine and dominating rue Fresnel from its height of nearly 138 feet (42 m). This also made space for two courtyards, providing natural light for the entrance galleries. One was surrounded by four galleries on two levels, thus allowing the prince to accommodate his impressive library on the second floor and his family and daughter on the third floor. A sumptuous balcony resting on an eagle with outspread wings and overlooking the Seine marked the young Princess Marie's bedchamber (the prince chose to set his

Pages précédentes : Sur cette gravure datant du XIXe siècle, les promeneurs de la colline de Chaillot admirent les toits de Paris et l'île aux Cygnes sur leur droite. *Page de gauche et ci-dessus :* Corniches, boiseries et chapiteaux s'ornent d'emblèmes à la gloire de Napoléon Ier. Le N surmonté d'une couronne, l'abeille et l'aigle impérial sont des éléments décoratifs que l'on découvre à chaque pas.

Preceding pages: In this etching dating from the nineteenth century, people strolling on the Chaillot hill admire the Paris rooftops and the Île aux Cygnes (Isle of the Swans) to their right. *Facing page and above:* Emblems to the glory of Napoleon I adorn cornices, wood paneling, and capitals. The letter "N" surmounted by a crown, the bee, and the imperial eagle are decorative elements are found at every step of the way.

balcon soutenu par un aigle aux ailes déployées et donnant sur la Seine (le prince se réservant l'appartement du deuxième étage, dans la partie donnant sur l'avenue d'Iéna). Du côté de la rue Fresnel, en dessous de la bibliothèque, les deux niveaux d'une arcade, dont la portée étonna les contemporains, donnaient accès aux écuries et aux remises, ainsi qu'à tous les communs. La charpente métallique qui couvre et soutient cette partie servait de sol à la cour, exemple d'une utilisation des techniques modernes que les architectes de ce temps, en dépit de l'exemple de la tour Eiffel, voulaient aussi discrète que possible.

Pour satisfaire les prétentions dynastiques qu'il partageait avec sa mère, Roland Bonaparte choisit de mettre en scène, dans la décoration intérieure des parties publiques de son palais, sa filiation avec l'empereur Napoléon Ier. On s'amusera donc à relever, dès la rampe en fer forgé de l'escalier monumental, le monogramme B (pour Bonaparte) rythmant des frises d'aigles d'où s'échappent des feuilles de laurier. On remarquera également, au premier étage, sur les mosaïques d'Auguste Guilbert-Martin, à qui l'on doit celles du Sacré-Cœur, les abeilles, symbole d'immortalité et de résurrection qui figuraient sur le manteau impérial de Napoléon Ier afin de rattacher la nouvelle dynastie aux origines de la France, car elles décoraient déjà le tombeau de Childéric Ier, fondateur des Mérovingiens et père de Clovis. À l'époque, des compositions à l'aquarelle illustrant des sujets napoléoniens embellissent les parois de pierre des loggias autour de l'escalier d'honneur. L'aura de Napoléon Ier se retrouvait encore au premier étage avec, en haut des marches, un buste de Napoléon en marbre blanc posé sur un socle abrité par une grande niche à coquille tandis que, dans l'embrasure d'une fenêtre, le visiteur était accueilli par une réduction en bronze de la colonne Vendôme et, dans l'antichambre, par quatre bustes en marbre de Carrare des frères de Napoléon. Le grand salon, avec son parquet Versailles, était dominé à l'époque par une peinture d'un élève de David, un portrait de l'Empereur en uniforme devant une carte de géographie dont

own second-floor apartments in the wing overlooking avenue d'Iéna). On the rue Fresnel side, beneath the library, a dual-level archway, whose span astonished people at the time, provided access to the stables and coach-houses, as well as to all of the servants' quarters. The metal structure that covered and supported this portion served as the courtyard floor—an example of the use of modern techniques, which architects at the time sought to make as unobtrusive as possible, despite the example of the Eiffel Tower.

To satisfy the dynastic yearnings he shared with his mother, Roland Bonaparte decided to decorate the common rooms of his mansion with Napoleonic symbols. Starting with the wrought iron railing of the grand staircase, visitors can make out monogrammed "Bs" (for Bonaparte) punctuating the friezes of eagles and laurel leaves. In the first-floor mosaics by Auguste Guilbert-Martin (who also made the ones in the Sacré-Cœur Basilica), bees are visible as well. A symbol of immortality and resurrection that adorned the imperial mantle of Napoleon I, bees linked the emperor to past French monarchs, like Childeric I (the founder of the Merovingian dynasty and father of Clovis) whose tomb was similarly decorated. Watercolor compositions depicting Napoleonic subjects originally adorned the stone walls of the loggias around the grand staircase. Napoleon I's aura was also present on the first-floor, where, at the top of the stairs, a white marble bust of the emperor atop a pedestal was nestled in a scalloped niche, while a bronze Vendôme Column miniature stood in a window recess, and four Carrara marble busts of Napoleon's brothers greeted visitors in the antechamber. Dominating the Grand Salon, with its Versailles parquet floor, was a very recent addition to Roland Bonaparte's collection of "Napoleoniana": a painting by a pupil of David—a uniformed portrait of the emperor before a geographical map. To the left of this area, intended for large social functions, the Salon Bleu and Salon de Famille (family drawing room) were reserved for members of Roland's more intimate circles

Double page précédente : Gravure réalisée pour l'Exposition universelle de 1889. En face de la tour Eiffel, on peut voir de l'autre côté de la Seine les jardins et le palais du Trocadéro. *Page de gauche et ci-dessus :* Datant de la fin du XIXᵉ siècle, ces deux documents illustrent le travail de l'architecte Ernest Janty. À gauche, la façade de la bibliothèque dominant l'entrée des écuries rue Fresnel et à droite la façade de l'hôtel particulier, avenue d'Iéna.

Preceding pages: Etching made for the 1889 World's Fair. Opposite the Eiffel Tower, the Trocadéro palace and gardens can be seen on the other side of the Seine. *Facing page and above:* Dating from the late nineteenth century, these two documents illustrate the work of architect Ernest Janty. On the left, the library facade overlooks the entrance to the stables on rue Fresnel, and on the right is the townhouse facade on avenue d'Iéna.

Echelle de 0,003

Roland Bonaparte venait tout juste de faire l'acquisition pour compléter sa collection de souvenirs napoléoniens. À gauche de cet espace destiné à servir pour les grandes réceptions mondaines, le Salon Bleu et le Salon de Famille étaient réservés aux amis du cercle intime. Il n'empêche que continuent d'y figurer des souvenirs de la geste impériale, même si ceux-ci se font plus discrets. L'historien Bertrand Duhesme, à qui l'on doit le premier ouvrage consacré au palais de Roland Bonaparte, décrit « le précieux mobilier Empire recouvert de soierie bleue » qui donne son nom au premier de ces salons, « offert en son temps par l'impératrice Marie-Louise » (la seconde épouse de Napoléon) « à sa belle-sœur, la grande-duchesse de Toscane ». Surtout, Roland Bonaparte acquiert en ventes publiques un ensemble de panneaux de fresques sur plâtre. Ils ont été sauvés de la démolition vers 1867 de l'hôtel particulier de la rue de la Victoire (ex-rue Chantereine) qui abritait les amours de Joséphine et du général Bonaparte au temps du Directoire. Ces panneaux en frise représentent le cortège des Arts, des Plaisirs et des Sciences rendant hommage à Apollon. Ils sont accrochés au-dessus des lambris où l'écrivain Alfred Jarry, qui les admire en 1913, les trouvera « placés un peu haut ». À la vente du palais, après la mort de Roland, Marie fera enlever cet ensemble, qu'elle offrira ensuite au Musée national du château de Malmaison, mais Pierre-Yves Rochon, le décorateur du Shangri-La Hotel, Paris, les a fait copier avec beaucoup de talent et replacer à l'endroit originel. Roland Bonaparte, pour compléter ce décor, avait fait composer dans un style pompéien, à la mode au moment du Premier Empire, des peintures murales dans un esprit similaire à celui de la frise.

De l'autre côté du grand salon, la salle à manger d'apparat constitue un sommet dans l'évocation de l'Empereur. Alfred Jarry mentionne ainsi lors de sa visite « une peinture d'après Philippoteaux Bonaparte à Rivoli dont l'original est à Versailles ». Marie Bonaparte gardera pour son usage cette copie lors de la vente de l'hôtel en 1925. Mais le reste du décor original subsiste dans sa plus

of friends. Hints of the imperial regime, though subtler here, still lingered. Historian Bertrand Duhesme, author of the first work on Roland Bonaparte's mansion, describes "the precious Empire furniture upholstered in blue silk," that gave its name to the Salon Bleu, "presented at the time by Empress Marie-Louise [Napoleon's second wife] to her sister-in-law, the Grand Duchess of Tuscany." Roland Bonaparte had also purchased a set of painted plaster panels at an auction. They had been salvaged from the demolition, around 1867, of the townhouse on rue de la Victoire (formerly rue Chantereine), the stage for Josephine and General Bonaparte's love affair during the Directorate period. These panels formed a frieze depicting the procession of the Arts, Pleasures, and Sciences in honor of Apollo. They were hung above the wainscoting, where the writer Alfred Jarry, who admired them in 1913, thought them to be "placed a little high." When the estate was sold after Roland's death, Marie donated the panels to the Musée National du Château de Malmaison. Pierre-Yves Rochon, interior designer at Shangri-La Hotel, Paris, then had them skillfully copied and returned to their original spot. In keeping with the spirit of the frieze, Roland Bonaparte commissioned Pompeian-style murals that were in vogue at the time of the First Empire.

On the other side of the Grand Salon, imperial reminders culminated in the ceremonial dining room. During his visit, Alfred Jarry mentioned, "a painting after Philippoteaux, *Bonaparte in Rivoli*, the original of which is at Versailles." Marie Bonaparte kept this copy when the mansion was sold in 1925, but much of the original décor remains and has been carefully restored by Richard Martinet, Shangri-La Hotel, Paris' architect. In the dining room, visitors' eyes are immediately drawn to the imposing fireplace's mantelpiece where a bronze rendering of David's *Napoleon Crossing the Alps stands*. The mantel also features another bronze relief depicting Roland's grandfather, Lucien Bonaparte, holding forth to the Council of Five Hundred and allowing his brother to

Pages précédentes : Surplombant l'escalier d'honneur, le grand vitrail signé Pizzagalli, d'esprit Art nouveau, met en valeur les initiales de Roland Bonaparte. À droite, la princesse Marie en tenue de bal. *Ci-contre :* Coupe longitudinale du bâtiment, qui souligne l'importance du dénivelé entre l'avenue d'Iéna et la rue Fresnel. *Ci-dessus :* Un balcon de la façade encadré d'atlantes. Croquis d'Ernest Janty. *Pages suivantes :* À gauche, projet d'origine de l'escalier d'honneur dans sa splendeur théâtrale. À droite, le chiffre B qui orne sa rampe.

Preceding pages: Above the grand staircase, the large Art-nouveau stained-glass window of Pizzagalli draws visitors' eyes to Roland Bonaparte's initials. On the right, Princess Marie poses in a ball gown. *Facing page:* Longitudinal section of the building showing how avenue d'Iéna and rue Fresnel are at considerably different levels. *Above:* One of the facade's balconies flanked by Atlantean figures. Sketch by Ernest Janty. *Following pages:* On the left, the original draft of the grand staircase in all its theatrical glory. On the right, the cipher "B" adorns the banister.

grande partie et a été restauré avec un soin amoureux par l'architecte du Shangri-La Hotel, Paris, Richard Martinet. Dans cette pièce, le regard est tout de suite attiré par l'imposante cheminée dont le manteau est orné d'une interprétation en bronze du tableau de David représentant le passage du col du Grand-Saint-Bernard par Bonaparte et ses troupes. Au linteau, on remarque également un autre relief en bronze où l'on peut voir le grand-père de Roland, Lucien Bonaparte, haranguer le Conseil des Cinq-Cents et permettre à son frère de s'emparer du pouvoir. Les portes d'acajou de la salle à manger sont surmontées d'aigles sur le point de prendre leur envol et, à l'époque, selon certaines descriptions, la cheminée était encadrée de soldats de la Révolution française, grandeur nature. Cette pièce, en grande partie couverte de boiseries, provoque une forte impression. Elle évoque, plus que l'histoire, la légende d'un monarque qui a conquis l'Europe et dont le petit-neveu se plaisait à retrouver ainsi, et à faire partager à ses hôtes de marque, un peu de la grandeur.

Il ne reste rien malheureusement des quatre galeries où se trouvait la bibliothèque, démolies après un incendie en 1960, sinon, au-dessus d'une porte donnant sur la rotonde du premier étage, un globe terrestre soutenu par des Amours. Mais nous disposons encore de descriptions et de photographies qui permettent de concevoir l'importance des collections qui y étaient entreposées. Écarté de la vie militaire, le prince Bonaparte se jette à corps perdu dans la cartographie et la géographie, ses deux domaines de prédilection, il devient membre de la Société de géographie en 1884. Dès cette époque, ce sont les Alpes et les Pyrénées qui l'attirent. De 1885 à 1906, il s'y rend chaque année pour jalonner les principaux glaciers de repères à son chiffre, RB. Les glaciologues se réfèrent toujours à ces repères pour évaluer l'évolution du mouvement des glaciers. Les dernières années de sa vie sont consacrées à la constitution de son grand herbier de fougères, qui se trouve aujourd'hui au Muséum d'histoire naturelle de Lyon. Président de la Société de géographie en 1910, grâce à son immense fortune il peut contribuer discrètement au financement d'entreprises scientifiques, telles que l'expédition au pôle Nord

---

seize power. Eagles about to take flight surmount the dining room's mahogany doors, and, according to some descriptions, life-sized soldiers of the French Revolution once surrounded the fireplace. This room, largely wood-paneled, creates a strong impression. More than mere history, it conjures up the legend of a monarch who conquered Europe and whose grandnephew delighted in recreating—and sharing with his guests—a little bit of grandeur.

Unfortunately, nothing remains of the library's four galleries, which were demolished after a fire in 1960, except for a globe borne by cupids above a door opening onto the second-floor rotunda. But descriptions and photographs help us gauge the size of the collections stored there. Excluded from military life, Prince Bonaparte threw himself wholeheartedly into cartography and geography, his two favorite fields, and became a member of the Geographical Society in 1884. From this period on, the Alps and the Pyrenees held a particular fascination for him. From 1885 to 1906, he made annual trips there to stake out the main glaciers with his cipher, RB. Glaciologists still refer to these benchmarks when assessing the evolution of glacier movement. His later years were devoted to the creation of his great fern herbarium, now in the Museum of Natural History in Lyon, France. President of the Geographical Society in 1910, his immense fortune allowed him to discretely fund scientific endeavors, such as Charcot's expedition to the North Pole; the measurement of the meridian from the equator; the installation of the Mont Blanc observatory; and the construction of the ocean observation vessel, *Le Roland*. According to Alfred Jarry, the shelves extended over a distance of nearly four miles (6 km), just enough to accommodate the 200,000 volumes in the prince's library. His herbaria and collections of minerals and ethnological objects, some of which are now at the Musée du Quai Branly across the Seine, also made these four galleries into an impressive showcase of wonders. Public viewings were also allowed upon request. Roland Bonaparte especially enjoyed having other scientists visit his estate; often part of his social circle, their names appear on the guest lists of major social events that he was sometimes obliged to endure.

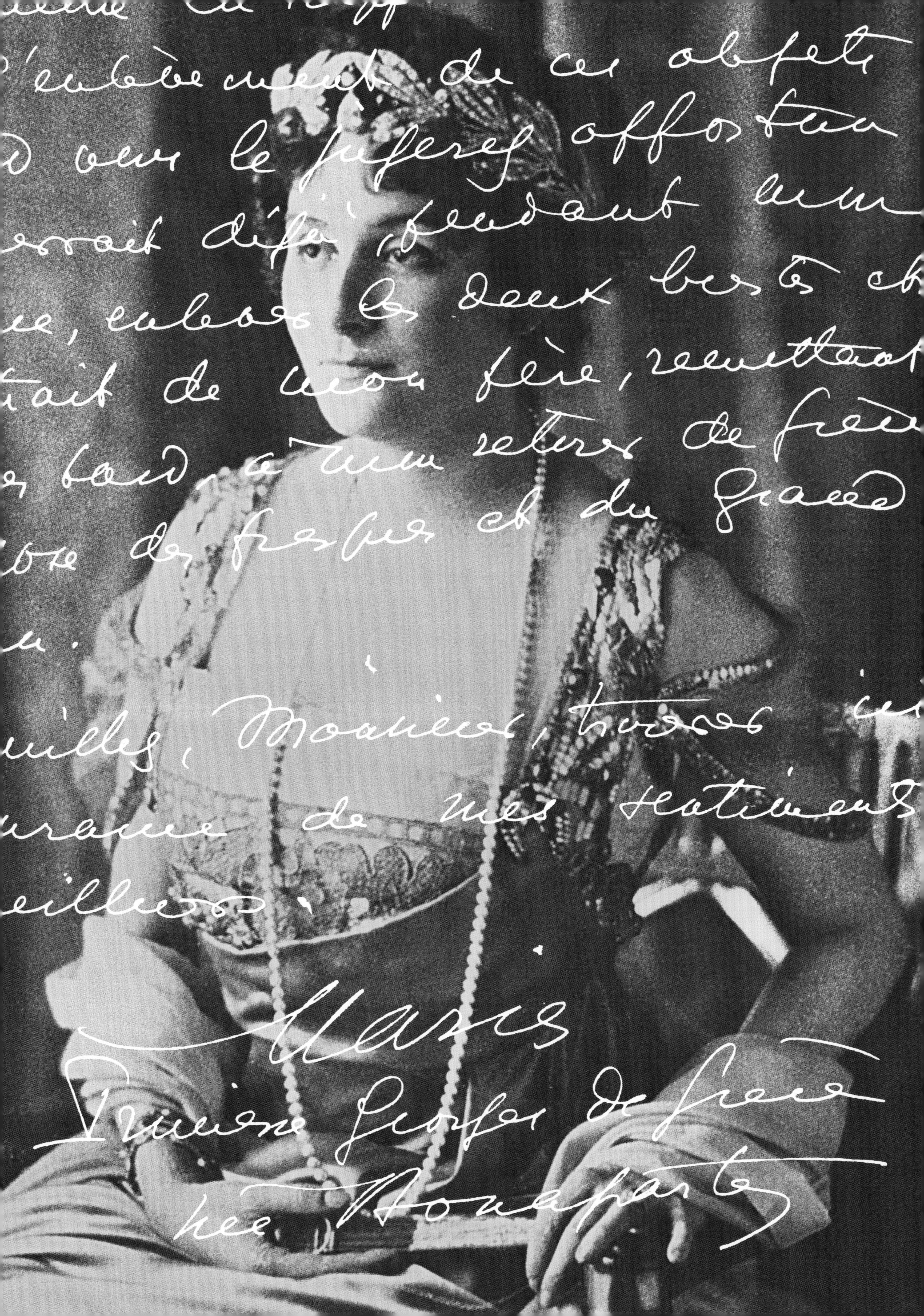
Marie
Princesse Georges de Grèce
née Bonaparte

de Charcot, la mesure de la méridienne de l'équateur, l'installation de l'observatoire du Mont-Blanc ou encore la construction du navire d'observation océanique *Le Roland*. Selon Alfred Jarry, les rayonnages s'étendaient sur six kilomètres, une longueur juste assez suffisante pour accueillir les 200 000 ouvrages de la bibliothèque du prince. Ses herbiers, ses collections de minéraux et d'objets ethnologiques dont certains sont désormais de l'autre côté de la Seine, au musée du quai Branly, faisaient aussi de ces quatre galeries un fabuleux cabinet de curiosités. Le public était d'ailleurs admis sur rendez-vous à la consultation. Roland Bonaparte se plaisait surtout à faire visiter son domaine à d'autres savants qui partageaient le plus souvent sa Société, comme en témoignent les listes d'invités aux grands événements mondains auxquels il était parfois obligé de sacrifier.

C'était en effet surtout sous le prétexte de mettre Marie en valeur que ces grandes réceptions étaient organisées. Quand elle a 17 ans, en 1899, son père donne ainsi en son honneur un grand bal qui est censé la lancer dans la vie parisienne. Célia Bertin, dans sa biographie de la princesse, s'intéresse aux noms que Marie Bonaparte retient parmi les 500 invités que son père a réunis pour l'occasion. En fait c'est le gotha mondain qu'elle passe ainsi en revue, mais elle relève aussi le nom d'artistes et de scientifiques. Défilent ainsi sous sa plume la grande-duchesse de Mecklembourg et le landgrave de Hesse, mais aussi le dessinateur Caran d'Ache, le peintre Carolus Durand ou encore le sculpteur Bartholdi dont la statue de la Liberté domine le port de New York. Côté savants, ce sont le mathématicien Jean Gaston Darboux, Louis-Paul Cailletet, l'inventeur de la cryogénie, ou Arsène d'Arsonval, le spécialiste du télégraphe sans fil et futur fondateur de la société Air Liquide, qui retiennent son attention. Pour les débuts d'une jeune fille dans le monde, on aurait pu imaginer un aréopage moins austère. Nouvelle fête en 1900, pour accueillir les participants au Congrès international de physique. Marie fait figure de maîtresse de maison. Elle accueille ainsi, en haut de l'escalier, lord Kelvin, concepteur du zéro absolu, qu'elle qualifie elle-même dans ses carnets de « petit vieillard malingre à la barbiche blanche », Alexandre Graham Bell,

---

These grand receptions were often held to present Marie to Parisian society. When she was seventeen, in 1899, her father held a debutante ball in her honor. In her biography of the princess, Célia Bertin reveals the names that Marie Bonaparte distinguished from the five hundred guests assembled by her father for the occasion. Something of an *Almanach de Gotha* of high society, her list contained the names of artists and scientists in addition to the Grand Duchess of Mecklemburg and the Landgrave of Hesse, the cartoonist Caran d'Ache, the painter Carolus Durand, and Bartholdi who sculpted the Statue of Liberty. Among the scientists who caught Marie's attention were: mathematician Jean Gaston Darboux; Louis-Paul Cailletet, the inventor of cryogenics; and Jacques-Arsène d'Arsonval, the wireless telegraph expert and future founder of the company Air Liquide. One might have expected a less austere learned assembly for a young woman's socialite debut. Another gala followed in 1900, to welcome participants of the International Congress on Physics. As hostess, Marie, standing at the top of the staircase, welcomed Lord Kelvin, the deviser of the scale of absolute zero and whom she described in her notebooks as "a little skinny old man with a white goatee;" Alexander Graham Bell, the inventor of the telephone; and Pierre Curie who "took from his waistcoat pocket a tiny tube that gave off a greenish glow in the darkness [. . .]. It was radium."

Apart from these social niceties, Marie's relationship with her father showed little of the genuine affection one might expect between a widower and his only daughter. Indeed, Roland was devoted mainly to his own passions, and when Marie came into possession of her personal fortune at the age of twenty-one, he chided her constantly to dissuade her from spending too much money. The prince became embittered when his mother died. He was forever complaining that no one liked him and that he was frantically busy. At the same time, in the great tradition of dynastic strategies, he was preparing his daughter's marriage. Luckily, Marie found her father's choice of suitor

Page de gauche : Au premier étage, la galerie au splendide parquet de chêne conduit au Grand Salon. *Ci-dessus en haut :* Prise le 3 septembre 1907 pour *L'Illustration*, la photo officielle des fiançailles de Marie avec le prince Georges de Grèce et du Danemark. *Ci-dessus en bas :* Le prince Roland Bonaparte pose pour cette photo, prise de la terrasse de son hôtel particulier d'où l'on a une vue splendide sur la tour Eiffel.

Facing page: On the second floor, the gallery with its splendid oak parquet floor leads to the Grand Salon. *Above, top:* Taken on September 3, 1907 for the weekly French newspaper, *L'Illustration*, the official engagement photograph of Marie and Prince Georges of Greece and Denmark. *Above, bottom:* Prince Roland Bonaparte poses for this photograph, taken from the terrace of his townhouse with its excellent view of the Eiffel Tower.

l'inventeur du téléphone, et Pierre Curie qui « sort de la poche de son gousset un tube minuscule qui dans l'obscurité luit verdâtre [...] C'est le radium. » En dehors de ces mondanités, les relations de Marie avec son père ne sont guère marquées par la tendresse, comme on peut s'y attendre de la part d'un veuf qui a élevé seul sa fille, et qui s'est surtout beaucoup consacré à ses passions. Marie, qui est en possession de sa fortune personnelle depuis l'âge de 21 ans, est constamment morigénée par son père pour qu'elle ne dépense pas trop d'argent. La mort de sa mère a aigri le prince. Il se plaint tout le temps qu'on ne l'aime pas et qu'il est débordé. En même temps, dans la grande tradition des stratégies dynastiques, il prépare le mariage de sa fille. Par chance, Marie trouve que le second fils du roi des Hellènes, vice-amiral de la Flotte grecque, le prince Georges de Grèce (il est en fait d'origine danoise même s'il appartient à la dynastie régnante en Grèce), sur lequel son père a jeté son dévolu et qui est apparenté à toutes les familles royales d'Europe, est plutôt joli garçon. Elle, de son côté, est décrite ainsi par un chroniqueur mondain : « grande, svelte, souple comme les asphodèles de sa future patrie, avec d'admirables cheveux sombres, et des yeux noirs d'une infinie douceur... »

Le couple, malgré la différence d'âge, il a douze ans de plus qu'elle, avait tout pour être heureux. Le 31 août 1906, un repas, avenue d'Iéna, réunit cinquante convives et scelle l'union des deux familles. Le mariage civil aura lieu un an plus tard, à la mairie du 16e arrondissement. Marie et son mari partageront alors leur vie entre le Danemark, la Grèce et le palais de Roland Bonaparte à Paris. Le couple n'est pas très uni, l'homosexualité du prince n'arrangeant rien à l'affaire. Marie se lance dans un tourbillon de déjeuners littéraires et politiques. Pour oublier, elle tient salon. C'est en 1913, à l'occasion de l'une de ces réceptions données en hommage à l'écrivain britannique Rudyard Kipling qu'elle fait la connaissance de l'homme politique Aristide Briand, qui sera le grand amour de sa vie. La Grèce est un pays neutre qui se tient à l'écart de la

quite handsome—Prince Georges of Greece, the second son of the King of the Hellenes, vice-admiral of the Greek fleet (but of Danish stock), and related to all of the royal families of Europe. Marie herself was described by a chronicler of society as "tall, slender, and as lithe as the asphodels of her future homeland, with beautiful dark hair, and dark eyes of infinite gentleness."

Despite their age difference—he was twelve years her senior—the couple had every reason to be happy. On August 31, 1906, a feast at avenue d'Iéna for fifty guests sealed the union of the two families. The civil ceremony took place a year later at the town hall of Paris' sixteenth arrondissement. Marie and her husband then divided their time between Denmark, Greece, and Roland Bonaparte's mansion in Paris. The couple was not very close, and the prince's homosexuality did not help matters. Marie threw herself into a whirl of literary and political luncheons. She hosted gatherings to take her mind off things. In 1913, at one such reception given in honor of British writer Rudyard Kipling, she met the politician Aristide Briand, who was to become the great love of her life. Although Greece was a neutral country during World War I, Marie Bonaparte made donations for wounded English, Australian, and French soldiers repatriated from Gallipoli to the hospital in Salonika. After the war, her father's long illness kept her close by his bedside. When Roland Bonaparte died in 1924, two things changed in Marie Bonaparte's life: she became close to Sigmund Freud, the inventor of psychoanalysis, later becoming one of the discipline's figureheads in France, and she decided to sell her father's mansion. The "last of the Bonapartes," as she styled herself, regained her freedom at last.

Marie Bonaparte arranged this sale in order to preserve the essence of her father's moral and spiritual legacy, namely his library and collections, both scientific and Napoleonic. The purchaser, the mighty Suez Canal Company thus agreed to lease the first-floor galleries and the Napoleonic salons to the Geographical Society, over which Roland Bonaparte had once presided. In

Page de gauche : La façade du palais avenue d'Iéna vers 1896. *Ci-dessus à gauche :* Le prince dans l'intimité de son cabinet de travail où il recevait volontiers des explorateurs et des savants. *Ci-dessus à droite :* La bibliothèque occupait quatre galeries dont les rayonnages s'étendaient sur six kilomètres pour accueillir 200 000 ouvrages.

Facing page: The palatial facade on avenue d'Iéna, c. 1896.
Above, left: The prince in the privacy of his study where he enjoyed receiving explorers and scientists.
Above, right: The library occupied four galleries, its shelves extending over a distance of almost four miles (6 km) to house 200,000 books.

Ci-dessus en haut : Le prince
et la princesse de Grèce avec leurs
enfants. *Ci-dessus en bas :* Détail
du médaillon qui surplombe l'une
des portes du Grand Salon.
Page de droite : Retrouvés à Malmaison,
les panneaux à l'antique ont été copiés
et replacés à l'endroit qu'ils occupaient
à l'origine, dans le Salon Bleu.
Ce *Cortège des Sciences et des Arts*
aux couleurs vives met en scène
des divinités et héros mythologiques.

Above, top: The prince and princess
of Greece with their children.
Above, bottom: Detail of the medallion
overlooking one of the doors in the
Grand Salon. *Facing page:* These
classical-style panels were copied
from the originals found at
Malmaison and restored to their
original position in the Salon Bleu.
This brightly colored *Procession
of the Sciences and Arts* includes
deities and mythological heroes.

Première Guerre mondiale. Marie Bonaparte n'en contribue pas moins à soulager les souffrances par des dons, notamment aux blessés anglais, australiens et français rapatriés de Gallipoli sur l'hôpital de Salonique. Après la guerre, la longue maladie de son père la retient à son chevet. Roland Bonaparte meurt en 1924, et ce deuil provoque deux événements dans la vie de Marie Bonaparte. D'un côté, elle se rapproche de l'inventeur de la psychanalyse, Sigmund Freud, et entreprend elle-même avec lui une analyse qui fera d'elle l'une des têtes de proue de cette discipline en France. De l'autre, comme si elle larguait enfin les amarres avec un passé trop lourd, la « dernière des Bonaparte », comme elle se qualifie elle-même, décide de vendre le palais que son père avait construit et de prendre enfin sa liberté.

Marie Bonaparte organise cette vente de manière à préserver l'essentiel du legs moral et spirituel de son père, à savoir la bibliothèque et les collections, tant scientifiques que napoléoniennes. Ainsi, l'acquéreur, la puissante Compagnie financière du canal de Suez, s'engage-t-il à louer les galeries du premier étage et les salons napoléoniens à la Société de géographie dont Roland Bonaparte avait été l'un des présidents. De plus, Marie Bonaparte fait don des 100 000 ouvrages spécialisés qui composent la bibliothèque à la Société de géographie. Une partie quitte le palais, l'autre reste sur place. On a vu aussi qu'elle garde certaines œuvres d'art, comme les fresques sur plâtre du premier étage ou encore le modèle réduit de la colonne Vendôme. La Compagnie financière du canal de Suez est à l'époque toujours propriétaire du canal qui relie la Méditerranée à la mer Rouge et en tire de confortables revenus. Elle entreprend de valoriser son nouveau patrimoine en le surélevant de trois étages, de manière à disposer d'appartements locatifs. Cette tâche sera confiée à l'architecte Michel Roux-Spitz, formé par Tony Garnier, tenant d'un modernisme sans excès qui s'oppose autant à l'éclectisme du style pompier qu'au formalisme d'un Le Corbusier. Il s'acquitte avec bonheur de sa commande, comme en témoignent les contemporains qui admirent notamment le travail de surhaussement de trois étages de la façade principale et sa décoration qui

addition, Marie Bonaparte donated the 100,000 specialist works that made up the Geographical Society's library. Some left the mansion, while others remained. Marie also put certain works of art aside, such as the first-floor plaster frescoes and the model of the Vendôme Column. At the time, the Suez Canal Company was still the owner of the canal linking the Mediterranean to the Red Sea and enjoyed a comfortable income from this. It set about enhancing its newly acquired property, raising it by three levels in order to create rental apartments. The task was entrusted to architect Michel Roux-Spitz, a student of Tony Garnier, who adhered to a moderate form of modernism that countered both the eclecticism of the Pompeian style and the formalism of someone like Le Corbusier. He happily fulfilled his brief, as testified by his contemporaries who admired the three-story elevation work of the main facade and its decoration that "prolongs without copying that of the older part." In 1929, the periodical *L'Architecture* attested that "through his lithe but firm handling, Mr. Roux-Spitz did more than merely transform the old building—he made it complete." On the rue Fresnel side, the coach-houses and staff quarters located beneath the arched vault gave way to a four-story garage made of reinforced concrete—quite an accomplishment at a time when the automobile was just beginning to take off! At the behest of the new owners, Michel Roux-Spitz also designed an Art-deco-style theater on the site of the inner courtyard with a light and elegant metallic covering that was somewhat reminiscent of the framework of the Eiffel Tower.

Roland Bonaparte's estate was thus transformed into investment property, although the Geographical Society provided some sense of continuity with the past. Other tenants, however, also brought an undeniable stamp of cosmopolitism. This was true of the First Church of Christ Scientist, an American religious organization founded in 1879 in the wake of Protestant evangelism. The group occupied the ground-floor levels until 1960, using the conference rooms as a place of worship. Then a rather flamboyant couple moved onto the sixth floor in 1929. Elsie de Wolfe was already sixty-four and, after a fairly

GRAND SALON et GALERIE

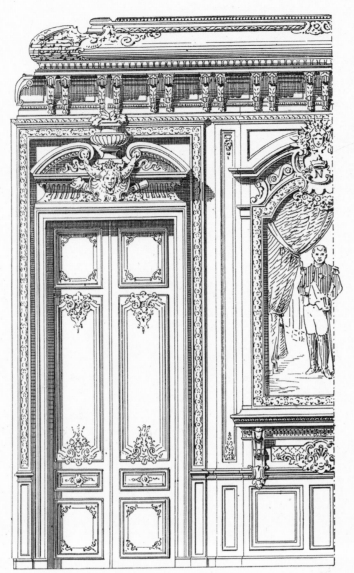

Echelle de 0,02

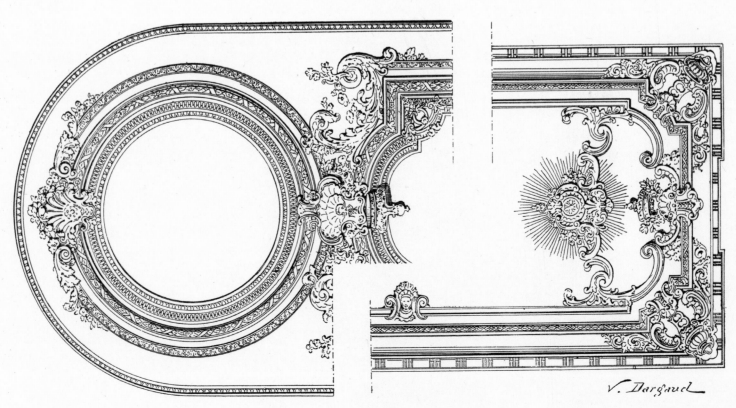

V. Dargaud

DÉTAIL DES PLAFONDS

Pages précédentes : À gauche,
superbement restauré, le Grand
Salon affiche de nouveau un décor
d'un extrême raffinement.
À droite, étude d'Ernest Janty pour
la décoration du Grand Salon
et de la galerie : croquis des plafonds
des deux pièces communicantes.
Ci-dessus : Après la vente du palais
par Marie Bonaparte, l'architecte
Michel Roux-Spitz est chargé en 1929
par le nouveau propriétaire
de créer des garages rue Fresnel.
Ci-contre : Portrait d'une célèbre
locataire, lady Mendl, l'inspiratrice
du délicieux cocktail « Pink Lady »,
à déguster sans faute au bar de l'hôtel.

Preceding pages, left:
Beautifully restored, the Grand Salon
once again boasts an extremely refined
décor; *right:* Ernest Janty's study for
the decoration of the Grand Salon
and gallery with sketches of the two
connecting rooms' ceilings.
Above: After Marie Bonaparte sold
the mansion, the new owner mandated
architect Michel Roux-Spitz in 1929
to build garages on rue Fresnel.
Facing page: Portrait of a famous tenant,
Lady Mendl, who inspired the
delicious, not-to-be-missed Pink Lady
cocktail, served at the hotel bar.

« continue sans la copier celle de la partie ancienne ». Dans la revue *L'Architecture* on peut lire en 1929 : « Ainsi, par une intervention à la fois énergique et souple, M. Roux-Spitz a mieux fait que de transformer l'ancien bâtiment : il l'a complété. » Du côté de la rue Fresnel, les remises et les logements du personnel qui se trouvaient sous la voûte cintrée font place à un garage à quatre niveaux en ciment armé, réalisation plutôt spectaculaire à une époque où l'automobile commence tout juste à prendre son essor. Enfin, Michel Roux-Spitz, à la demande des nouveaux acquéreurs, conçoit une salle de spectacle de style Art déco à l'emplacement de la cour intérieure. Pour couvrir cette dernière, l'architecte met au point une structure métallique dont la légèreté et l'élégance ne sont pas sans rappeler les armatures de la tour Eiffel.

Voilà donc le palais de Roland Bonaparte transformé en immeuble de rapport, la présence de la Société de géographie assurant une sorte de continuité avec le passé. Mais d'autres locataires apportent aussi un indéniable cachet de cosmopolitisme. Il en va ainsi de la First Church of Christ Scientist, une organisation religieuse américaine fondée en 1879 dans la foulée de l'évangélisme protestant et qui occupera les pièces situées au rez-de-chaussée jusqu'en 1960, tout en se servant de la salle de conférences comme d'un lieu de culte. Cependant, au cinquième étage, un couple tout à fait flamboyant emménage en 1929. Elsie de Wolfe a déjà 64 ans et, après une carrière assez scandaleuse d'actrice professionnelle à New York entre 1891 et 1905, elle s'est fait connaître comme décoratrice d'intérieur, un métier qu'elle a pratiquement inventé en travaillant pour les grandes fortunes de la côte Est, les Morgan, les Frick, les Vanderbilt, les Conde Nast, mais aussi pour des hôtels comme le St-Regis à New York. Depuis 1903 en France, où elle a acquis la Villa Trianon à Versailles, ses excentricités et ses fêtes en font une des personnalités en vue de la vie parisienne. Après guerre, elle se marie avec un diplomate britannique, ancien comédien lui aussi, Charles Mendl. L'appartement de l'avenue d'Iéna sera son pied-à-terre et sa vitrine à Paris jusqu'au début de la Seconde Guerre mondiale. L'endroit se prête à l'exposition de sa fastueuse collection de meubles

scandalous career as a professional actress in New York between 1891 and 1905, she made a name for herself as an interior designer, a trade that she practically invented while working for the East Coast jet set, including the Morgans, Fricks, Vanderbilts, and Condé Nasts, as well as hotels, like the St. Regis. When Elsie acquired the Villa Trianon in Versailles in 1903, her eccentricities and parties made her one of the prominent personalities of Parisian society. After World War I, she married a British diplomat, Charles Mendl, himself a former actor as well. The avenue d'Iéna apartment became her pied-à-terre and Parisian showcase until the outbreak of World War II. The place was a perfect foil to her magnificent collection of eighteenth-century *objets d'art* and French furniture, a taste that she had foisted upon her American clients before World War I instead of the Victorian style then in vogue. The apartment was bathed in a color palette that emphasized shades of beige and mahogany, spiced up with more contemporary touches, such as wall hangings of wild animal hides—ocelots, leopards, and zebras—and brightened by large wall mirrors. The main room was none other than the bathroom, which Elsie de Wolfe was the first to suggest turning into a "living space."

Her neighbor in the building was Lucien Rosengart, one of the great French automobile industrialists of the 1920s and 1930s. His car collections found a natural home in the garage on rue Fresnel. Another prominent figure, the painter Jean-Gabriel Domergue who designed the poster for the first edition of the Cannes Film Festival in 1939, occupied an artist's studio of over 6,458 square feet (600 m²) where Prince Roland Bonaparte's once had his private apartments on the second-floor. Consenting only to leave in 1960, Domergue, a specialist in female nudes, received regular visits from beautiful models, foremost among whom for a while being a young wild child named Brigitte Bardot, who cut a devastating figure, or the more curvaceous silhouette of another actress, then known as Nadine Tellier, whose bright future became even brighter after her 1962 marriage to Baron Edmond de Rothschild.

Page de gauche : Photo du Grand Salon, meublé dans l'esprit du Grand Siècle, tel qu'il était lorsque le prince Roland y recevait des invités. *Ci-dessus :* Au-dessus de la cheminée du Grand Salon, les lustres de cristal se répètent à l'infini dans les miroirs, une spectaculaire mise en abyme. Détail d'un lion de bronze ornant la cheminée et des serrures des portes du salon.

Facing page: Photograph of the Grand Salon, furnished in *Grand-Siècle* style, just as it was when Prince Roland received guests there. *Above:* Over the fireplace in the Grand Salon, the crystal chandeliers are reflected ad infinitum in mirrors, creating a spectacular *mise-en-abyme* effect. Detail of a bronze lion adorning the fireplace and the locks of the Salon doors.

français et d'objets d'art du XVIIIe siècle, un goût qu'elle a imposé à ses clients américains avant la guerre de 1914 en opposition au style victorien alors en vogue. L'appartement baigne dans une palette de couleurs qui privilégie les tons beiges et acajou, pimentée de touches plus contemporaines, telles que des peaux d'animaux sauvages — ocelot, léopard, zèbre — en guise de tapisserie, et éclairée par de grands miroirs muraux. La pièce principale n'est autre que la salle de bains qu'Elsie de Wolfe sera la première à proposer de transformer en « pièce à vivre ».

Son voisin dans l'immeuble est un des grands industriels français de l'automobile des années 1920 et 1930, Lucien Rosengart. Ses collections de voitures trouveront tout naturellement place dans le garage situé rue Fresnel. Autre figure de renom, le peintre Jean-Gabriel Domergue, à qui l'on doit l'affiche de la première édition du Festival du film de Cannes en 1939, occupe au deuxième étage, à l'emplacement de l'appartement privé du prince Roland Bonaparte, un atelier d'artiste de plus de 600 m² qu'il n'acceptera de quitter qu'en 1960. Spécialisé dans le nu féminin, il reçoit souvent la visite de ravissants modèles, au premier rang desquels on distingue un temps la silhouette ravageuse d'une jeune sauvageonne nommée Brigitte Bardot ou celle, plus pulpeuse, d'une autre actrice connue alors sous le nom de Nadine Tellier et appelée à un bel avenir après son mariage, en 1962, avec le baron Edmond de Rothschild.

Juste avant la Libération de Paris, en juin 1944, la Compagnie financière du canal de Suez cède cet ensemble immobilier à une association issue du Comité permanent des foires à l'étranger et qui va devenir, à partir de 1945, sous le nom de Centre national du commerce extérieur, le fer de lance de la promotion des exportations françaises dans le monde (aujourd'hui Ubifrance). Cette institution, qui souhaite installer ses bureaux avenue d'Iéna, mettra presque vingt-cinq ans à se débarrasser, un par un, de ses prestigieux mais encombrants locataires. En 1965, après l'incendie des galeries de la bibliothèque

Just prior to the Liberation of Paris, in June 1944, the Suez Canal Company sold this real estate portfolio to the National Council for Foreign Trade (CNCE), formerly part of the Permanent Commission of Fairs Abroad (CPFE). The CNCE, now known as the export promotion agency, Ubifrance, spearheaded the promotion of French exports in the post-war era, but it took the association almost twenty-five years to get rid of its prestigious but cumbersome tenants, so that it could set up shop in the coveted building on avenue d'Iéna. In 1965, after a fire in the library—whose contents had fortunately been dispersed among various museums after Roland Bonaparte's death—the building was raised by one last story and converted into an office building. Building work from 1985 to 1988 under the guidance of architect Christian Maisonhaute further fueled this vocation, transforming the four garage floors into work areas, beneath the arcades of rue Fresnel. And interior designer Christian Germanaz added touches of modernity into the Napoleonic setting, designed to temper Roland's taste for solemn décor as much as possible, particularly in the former ceremonial dining room remodeled as an Exporters' Club. Historian Bertrand Duhesme describes the changes designed to modernize the place: "Opposite the fireplace [. . .] a clock over 16 feet (5 m) in diameter, with an electromagnetic display and dial gilded with gold leaf, gives the time in Tokyo, London, and New York, as well as in Paris. In resolutely contemporary style, a strip light encased in black lacquered wood covered with polished stainless steel almost 30 feet (9 m) in length and set with 250 halogen lamps, and a long-pile carpet [. . .] specially woven in Aubusson for the room make up the picture." "A blue-gray painted backdrop" covering the wainscoting and doors complete this metamorphosis, which would have astonished the prince and even his daughter, Marie Bonaparte, despite being more in tune with contemporary aesthetics. The estate belonged to Ubifrance until January 2006, when the agency sold the building to Shangri-La Hotels and Resorts group.

Page de gauche : À gauche, l'escalier d'honneur en marbre. À droite, le palier du premier étage.
Ci-dessus : Les trois étages ajoutés par Roux-Spitz rythment la façade donnant sur l'avenue d'Iéna.

Facing page, left: the grand marble staircase landing; *right:* the second-floor.
Above: The three stories punctuating the facade on avenue d'Iéna and added by Roux-Spitz.

Ci-dessus : Pour le Nouvel An chinois, le jour de l'inauguration du Shangri-La Hotel, Paris, un éclairage rouge, la couleur emblématique des réjouissances pour les Chinois, parait toute la façade du bâtiment.
Page de droite : Pour l'ouverture de l'hôtel, la façade s'est refait une beauté dans le respect de l'architecture d'origine. Patiemment reconstitués, les éléments décoratifs sont un avant-goût du luxe de l'intérieur.

Above: On the day of Shangri-La Hotel, Paris' inauguration, for the Chinese New Year red illuminations— the color that symbolizes celebration for the Chinese—lit up the building's entire facade. *Facing page:* For the hotel's grand opening, the facade was completely refurbished in keeping with the original architecture. Patiently restored, the decorative elements are a preview of the luxury that lies within.

dont les collections avaient heureusement été dispersées entre divers musées lors du changement de propriétaire, le bâtiment est à nouveau surélevé d'un dernier étage et est converti en immeuble de bureaux. Cette vocation sera encore accentuée par les travaux menés de 1985 à 1988 sous la houlette d'un architecte, Christian Maisonhaute, qui transforme les quatre étages de garage, sous l'arcade de la rue Fresnel, en espaces de travail. Enfin, l'architecte d'intérieur, Christian Germanaz, insère dans le cadre napoléonien, notamment dans l'ancienne salle à manger d'apparat transformée en Club des exportateurs, des marques de modernité destinées à moduler, autant que faire se peut, la solennité du décor voulu par Roland Bonaparte. L'historien Bertrand Duhesme décrit les transformations visant à moderniser ce lieu : « Face à la cheminée […] une horloge de 5 mètres de diamètre à affichage électromagnétique, dont le cadran est doré à la feuille, donne l'heure de Tokyo, Londres et New York, mais aussi celle de Paris. D'esprit résolument contemporain, la décoration est complétée par une rampe d'éclairage en bois laqué noir recouvert d'inox poli de 9 mètres de long, équipée de 250 lampes halogènes et par un tapis de haute laine […] tissé spécialement pour la pièce à Aubusson. » « Un fond laqué gris bleuté » couvrant les lambris et les portes complète cette métamorphose qui aurait surpris le prince et même sa fille, Marie Bonaparte, pourtant plus acquise à l'esthétique contemporaine. Le palais appartiendra à Ubifrance jusqu'en janvier 2006, date à laquelle l'agence vend l'immeuble au groupe Shangri-La Hotels and Resorts.

Une page se tourne, mais peut-on dire que le palais de Roland Bonaparte ait vraiment changé de destination ? D'une certaine manière, ce monument de la vie parisienne est toujours resté voué à l'Histoire et surtout à la Géographie. Il y a eu la bibliothèque du prince, les locataires de tous pays de la Compagnie financière du canal de Suez, société elle-même investie bien au-delà de la France, enfin ce Centre national du commerce extérieur tourné forcément vers le grand large. Et voilà qu'avec l'arrivée de Shangri-La Hotel, Paris cette vocation se prolonge et trouve peut-être son plus bel accomplissement en confirmant la vocation première de ce lieu : être, au cœur de Paris, une maison ouverte sur le monde.

A page may have turned, but can we really say that Roland Bonaparte's estate has truly changed course? In a way, this monument to Parisian life has always been devoted to history and geography—be it through the prince's library or the Suez Canal Company's—a firm whose investments extended well beyond France—international tenants, or later, the CNCE, which inevitably looked to more distant shores. Perhaps with the arrival of the Shangri-La, Roland Bonaparte's showcase will at last fulfill its original vocation: to be a palace in the heart of Paris that is open to the world.

DE L'HÔTEL PARTICULIER
À L'HÔTEL SHANGRI-LA

From townhouse to Shangri-La Hotel, Paris

Ancré sur la rive haute de la Seine qui lui sert de miroir, juste en face de la tour Eiffel, l'immeuble que vient d'acquérir le groupe Shangri-La a belle allure. Sa position dominante dans l'un des quartiers les plus prestigieux de Paris et la présence du fleuve qui coule à ses pieds lui assurent un avenir radieux selon un grand maître du feng-shui venu en personne s'assurer de l'harmonie énergétique du lieu. Pourtant, la demeure historique est restée un certain temps sur le marché immobilier. Après s'y être intéressés, plusieurs groupes hôteliers ont reculé devant des difficultés qu'ils jugeaient insurmontables. Dans un premier temps, l'estimation de la surface utilisable les a inquiétés. Il ne paraissait guère possible d'y implanter plus de 80 chambres : trop peu pour un palace où la gestion obéit à de stricts impératifs. Quant aux parties historiques, dégradées par les anciens propriétaires, elles représentaient un second défi qui ne pouvait clairement être évalué par les décideurs des chaînes d'hôtels, formés aux méthodes rationnelles de l'hôtellerie de masse. Dès qu'il a vu l'ancienne résidence du prince Bonaparte, le propriétaire

Set high on the right bank of the Seine, directly across from the Eiffel Tower, the Shangri-La group's recent acquisition dominates one of the most prestigious spots in Paris. Its reflection can be seen in the river flowing at its feet, guaranteeing the hotel a bright future, according to the feng shui master who paid a special visit to the site in order to verify its harmonious energy. Despite the historic residence's prime location, however, it remained on the housing market for some time. After an initial interest, several hotel groups shrank back from difficulties they considered insurmountable. To begin with, the estimated effective surface area hardly seemed sufficient for more than eighty rooms—too few for a luxury hotel that answers to strict requirements. Then there were the historic elements, left to crumble by the former owners, they presented a second challenge that hotel chain decision-makers versed in rational methods of mass-market hospitality found difficult to evaluate. But when the owner of the Shangri-La saw Prince Bonaparte's former residence, it was love at first sight! At the heart of his favorite city, this historic mansion

Ci-contre :
Les ferronneries très parisiennes de la marquise et le vase au motif chinois marquent l'entrée de l'hôtel du sceau des deux cultures.

Facing page:
The very Parisian ironwork of the glass canopy and the Chinese vase mark the hotel's entrance with a bicultural seal.

Ci-dessus : Au-dessus de la cheminée de la salle à manger, un médaillon reprend le tableau de David, *Bonaparte franchissant les Alpes au Grand-Saint-Bernard.* Encadrant le chiffre R à la gloire du prince Roland, deux cornes d'abondance se détachent en relief sur les battants de la porte.
Page de droite : Un ébéniste restaure les boiseries d'acajou de la salle à manger qui étaient cachées sous quatorze couches de peinture.

Above: Over the dining-room fireplace, a medallion rendering of David's Napoleon Crossing the Alps. Framing the cipher "R" to the glory of Prince Roland, two cornucopias stand out in relief on the leaves of the door.
Facing page: A cabinetmaker restores the dining room's mahogany paneling that had been hidden beneath fourteen layers of paint.

a eu le coup de foudre ! Au cœur de sa ville de prédilection, cette demeure historique était exactement ce qu'il souhaitait. Certes, l'investissement dépassait le cadre d'un simple calcul de rentabilité à court terme. Mais, plus important encore, il pourrait enfin réaliser le vœu qui lui tenait à cœur depuis trente ans : forger une alliance entre Paris et une entreprise familiale née en Asie, dans la dynamique des pays émergents, et confirmer ainsi son statut de leader mondial dans l'hôtellerie.

Le groupe Shangri-La ne se contente pas de se porter acquéreur du bail et achète les murs du bâtiment en 2005. À partir de cet instant, l'histoire se remet en marche pour la demeure princière. Impressionné par la restauration du George V, le groupe fait appel à l'équipe Rochon-Martinet, en charge des travaux du célèbre hôtel parisien. Ces deux professionnels dont le talent est reconnu à travers le monde associent depuis des années compétence et sensibilité à travers des projets communs. Pierre-Yves Rochon, l'incontournable scénographe des palaces du monde entier, qui va œuvrer au Savoy à Londres, a également réalisé les plus belles suites du Ritz à Paris. Son coéquipier Richard Martinet, architecte et ingénieur des Ponts et Chaussées, a conçu plus de 440 hôtels depuis 1980. Dès qu'il pénètre dans l'ancienne demeure de Roland Bonaparte, il est transporté de joie : « J'ai tout de suite ressenti que ce bâtiment avait une âme, tant sa charge émotionnelle est forte », explique-t-il avec un enthousiasme contagieux alors qu'il fait visiter le chantier pour la énième fois. « Même si le palais avait subi les outrages du temps, on pouvait se rendre compte clairement des intentions d'Ernest Janty qui avait réalisé une construction très sophistiquée pour son époque. Sur une surface classique, il avait réalisé, selon une technique innovante, une structuration avant-gardiste de l'espace. Le projet de cet architecte mondain et prestigieux, missionné par un prince féru de sciences, reflétait l'opulence de l'aristocratie française tout en illustrant un engouement pour la modernité, une passion partagée en cette fin de siècle avec Gustave Eiffel. »

was exactly what he had always wanted—even if it would mean an investment that went beyond a calculation of short-term profitability. What mattered was that a thirty-year-old dream was finally coming true: to attest to his status as a world leader in the hotel industry by forging an alliance between Paris and a family business born in Asia.

The Shangri-La Hotels and Resorts group did not merely acquire the lease but purchased the actual building in 2005. From that moment on, the story of the princely estate could continue. Impressed by the restoration work of the George V, the group enlisted the Rochon-Martinet duo, who had been in charge of the work on the famous Parisian hotel. These two professionals, whose talent is recognized the world over, have been a successful team for years, bringing their understanding and ability to the table. Pierre-Yves Rochon, the irrefutable designer of luxury hotels throughout the world, had just accepted a brief from the Savoy in London and had also produced the finest suites at the Ritz Paris. His partner, Richard Martinet, an architect and civil engineer, has designed over 440 hotels since 1980. As soon as he entered Roland Bonaparte's former residence, he was elated. "I immediately felt that this building had a soul, so strong was its emotional force," he explains with infectious enthusiasm, even when touring the site for the umpteenth time. "Even if it suffered the ravages of time, Ernest Janty's intentions were clearly apparent in what was a highly sophisticated construction for its time. Using an innovative technique, he created an avant-garde style of spatial structuring on a conventional surface. The project of this prestigious socialite architect, commissioned by a prince with a keen interest in science, reflected the opulence of the French aristocracy, while also illustrating a desire for modernity, a passion shared by Gustave Eiffel in the late nineteenth century."

With the added challenge of the Shangri-La's owner's requirements and recommendations, Richard Martinet could simply not refuse the project. He recalls how the owner stated from the outset that he wanted a "'living hotel and certainly not a museum!' He gave us carte blanche to carry out our mission,

De plus, les exigences et recommandations du groupe Shangri-La motivent Richard Martinet à s'engager dans ce projet. « Le propriétaire, rappelle-t-il, nous a tout de suite déclaré : "Je veux un hôtel vivant et surtout pas de musée !" Il nous a donné carte blanche pour mener à bien notre mission, à savoir retrouver la valeur historique du lieu en conservant l'échelle intimiste d'un hôtel particulier et, en même temps, créer un établissement de grand luxe. » Forte de la confiance qu'on lui accorde, l'équipe se met au travail. Fidèle à sa parole, le propriétaire n'hésite pas quand l'architecte lui propose d'envisager un classement du bâtiment à l'Inventaire supplémentaire des Monuments historiques. Les exigences artistiques et techniques qu'entraîne cette ambition n'effraient pas l'homme d'affaires. Au contraire, il adhère tout de suite au projet. Son engagement est récompensé et, en 2009, suite aux travaux pharaoniens de restauration, le classement de l'hôtel Shangri-La à l'Inventaire est officialisé.

La première tâche de Richard Martinet consiste donc à reconstituer du mieux possible la logique qui présidait à la conception initiale du bâtiment. Il fallait « remonter le fil du temps à l'envers », ainsi qu'il l'explique de façon imagée : « Au fur et à mesure des années et des interventions plus ou moins brutales des occupants successifs, le palais avait perdu sa cohérence. La galerie d'entrée, qui avait impressionné les premiers observateurs par sa luminosité, s'était assombrie ; il s'en dégageait une atmosphère oppressante alors que le fil conducteur de l'architecture et la préoccupation dominante d'Ernest Janty étaient le passage de la lumière. J'ai fini par comprendre qu'à l'origine ce grand vestibule était éclairé indirectement par une cour intérieure autour de laquelle s'étageaient sur deux niveaux quatre galeries destinées à abriter la bibliothèque. » En 1929, lors de la surélévation du bâtiment, le décorateur Maurice Gras avait remplacé la cour intérieure par une salle de spectacle. « J'aurais eu quelques scrupules à détruire cet ensemble s'il avait été conservé dans son état originel, avoue Martinet, mais les modifications apportées par la suite en avaient complètement dénaturé le caractère. » Et surprise ! La suppression du faux plafond au-dessus de ce qui est aujourd'hui le restaurant La Bauhinia,

namely to recover the site's historic value while retaining the intimist scale of a townhouse, and at the same time to create a luxury hotel."

Emboldened by the trust placed in them, the team set to work. True to his word, the owner did not hesitate when the architect suggested that he apply for the building to be added as French National Heritage Site. The artistic and technical work that this would entail did not daunt the businessman—quite the contrary in fact, as he immediately embraced the project. His commitment was rewarded: in 2009, in the wake of the pharaonic restoration work, the Hotel Shangri-La received its official listing.

Richard Martinet's first task was to reconstruct, to the best of his ability, the rationale that had governed the building's original design. It was necessary to "go back in time in reverse," as he explains in graphical terms. "Over the years the mansion had lost its coherence, with the varying degrees of ruthless treatment by its successive occupants. The entrance gallery, whose brightness had impressed early observers, had become dark; it gave off an oppressive atmosphere, whereas Ernest Janty's main concern and the guiding force of his architecture had been the passage of light. It finally dawned on me that this great hall had originally enjoyed indirect lighting from an inner courtyard surrounded by four galleries on two levels designed to accommodate the library." In 1929, when the height of the building was raised, the interior decorator Maurice Gras had replaced the inner courtyard with a theater. "I would have had some scruples about destroying this ensemble had it been preserved in its original state," admits Martinet, "but the subsequent changes had completely distorted its character." The removal of the dropped ceiling above what is now the La Bauhinia restaurant revealed the happy surprise of a stylish metallic structure, supporting a glass roof that covered the inner courtyard. This would explain the gallery's former brightness! The area was therefore cleared to recreate the skylight, a throwback to Ernest Janty's original, modernist concept.

This unexpected supply of light transformed the nature of the restoration work, which next focused on the space recovered in the middle of the building.

Double page précédente : Le Grand Salon en cours de restauration.
Page de gauche : Pendant la remise en état du parquet du premier étage, les boiseries fraîchement restaurées sont protégées par des coffrages de bois.
Ci-dessus : Bientôt remis en état, les deux lions de pierre qui ornent le balcon de la baie cintrée de la façade du palais pourront de nouveau intimider les passants.

Preceding pages: Restoration work is in progress in the Grand Salon.
Facing page: During the refurbishment of the first-floor parquet flooring, wooden casings protect the newly restored panels. *Above:* Soon to be rehabilitated, the two stone lions that adorn the arched window on the palatial facade will once again be able to intimidate passersby.

Ci-dessus: Joyau du palais princier, l'escalier d'honneur en cours de travaux. La restauration des lustres a demandé un soin particulier et le recours aux meilleurs artisans.
Page de droite: Le garde-corps de l'escalier et le balcon à l'italienne du palier ont retrouvé leur belle ferronnerie rehaussée de cuivre doré.

Above: The jewel of the princely estate, the grand staircase during the restoration work. The restoration of the chandeliers called for particular care and the best craftsmen.
Facing page: The railings of the staircase and the Italian-style balcony on the landing have regained their beautiful ironwork highlighted with gilded copper.

dévoile une élégante charpente métallique. Celle-ci soutient une verrière qui recouvrait la cour intérieure. Ainsi s'expliquait la luminosité de la galerie ! L'espace a donc été dégagé pour recréer le puits de lumière, retrouvant ainsi le concept initial et moderniste d'Ernest Janty.

L'apport inespéré de lumière a transformé la nature des travaux de restauration et c'est à partir de l'espace reconquis au centre du bâtiment qu'ils se sont organisés. Plus les travaux progressaient, plus l'édifice dévoilait ses ressources d'une richesse infinie. L'hôtel de grand luxe, souhaité par le propriétaire, pouvait se réaliser.

Au premier étage, à la place de l'immense bibliothèque de Roland Bonaparte, une grande partie des 87 chambres trouveront leur place. La plupart seront orientées vers la Seine et la tour Eiffel, ce qui constituera un formidable atout pour la clientèle de l'hôtel. Profitant d'un gain de volume, l'architecte a pu varier les surfaces d'habitation, éviter toute standardisation et offrir une identité propre à chaque chambre. Grâce à l'acquisition de l'immeuble voisin, situé au 8 avenue d'Iéna, qui sera une annexe de l'hôtel, l'architecte a obtenu l'autorisation de percer des ouvertures dans le mur aveugle, situé sur le côté ouest du palais où prendront place certaines chambres. Au rez-de-chaussée, L'Abeille, le restaurant gastronomique, s'ouvrira par de larges baies sur un jardin.

Trois suites exceptionnelles sont créées. Située dans les anciens appartements de Roland Bonaparte, la suite Impériale regarde du côté de l'avenue d'Iéna et s'insère dans la continuité de la partie historique de la demeure. Elle ne requiert donc pas de modifications fondamentales mais retrouvera au cours des travaux son magnifique plafond d'origine. La suite Chaillot, au cinquième étage, dans la partie surélevée par Roux-Spitz, bénéficiera d'une terrasse d'angle de 110 m² avec vue sur la Seine et le Trocadéro. La reconstruction de l'aile est de l'ancienne bibliothèque qui avait brûlé au début des années 1960 permet en effet de créer une magnifique terrasse. Enfin, l'architecte a exploité judicieusement le bâtiment provisoire construit sur le toit du palais (là où les derniers occupants avaient installé une salle à manger privée)

The more the work progressed, the more the building revealed its infinitely rich resources. The luxury hotel was beginning to take shape.

The first-floor—the site of Roland Bonaparte's huge library—was to accommodate several of the hotel's eighty-seven rooms. Most of them would face the Seine and the Eiffel Tower, a tremendous drawcard for guests. Taking advantage of this gain in volume, the architect was able to create different living spaces, thus avoiding any form of standardization and providing each room with its own identity. With the acquisition of the neighboring building, located at 8, avenue d'Iéna, set to become an annex to the hotel, the architect obtained permission to bore openings in the blind wall on the mansion's west side where more rooms would be situated. On the ground floor, the gourmet restaurant, L'Abeille, was fitted with large windows opening onto a garden.

Three exceptional suites were created. Located in Roland Bonaparte's former apartments, La Suite Impériale faces avenue d'Iéna and forms part of the residence's historical continuum. As such, it required no fundamental alterations, but, in the course of the work, it recovered its magnificent original ceiling. La Suite Chaillot, on the fifth-floor, in the portion raised by Roux-Spitz, was to receive a corner terrace measuring 1,184 square feet (110 m²) overlooking the Seine and the Trocadéro. The reconstruction of the east wing of the former library that had burned down in the 1960s made it possible to create a beautiful terrace. The architect also made good use of the temporary building erected on the mansion's roof (where the previous occupants had set up a private dining room) to create a panoramic suite, La Suite Shangri-La. Its metal structure was fitted with thermal and acoustic glazing, protecting those inside from both noise and the heat of the sun.

At the same time, large-scale excavations were carried out beneath what used to be the central courtyard. The architect boldly decided to double the surface area of the five floors overlooking rue Fresnel by digging into the limestone terrain of the Chaillot hill, thereby altering the building's substratum. The resulting extra space would be used to accommodate backroom facilities,

pour aménager une suite panoramique, la suite Shangri-La. Sa structure métallique est dotée de parois de verre thermique et isophonique qui protègent du bruit et de la chaleur solaire.

En même temps, d'importants travaux de déblaiement sont effectués sous ce qui était la cour centrale. L'architecte a pris le parti audacieux de doubler la surface des cinq étages orientés vers la rue Fresnel en creusant la colline de Chaillot, constituée de terrains calcaires, ce qui a permis de modifier le sous-sol du bâtiment. Cet espace reconquis abritera les locaux techniques avec quatre niveaux de cuisines qui desserviront les trois restaurants de l'hôtel par un système astucieux de monte-charges et d'ascenseurs. En même temps, la rationalisation de ce nouvel espace souterrain garantit une circulation rapide, simple et logique dont dépendra la qualité du service. D'autre part, sous l'arche conçue par Ernest Janty, séparée désormais de l'extérieur par une large baie vitrée, la restructuration se poursuit. Elle prévoit une piscine de 16 mètres de long disposant d'un promenoir à l'air libre et un spa de belle dimension.

La restauration des pièces d'apparat de l'hôtel particulier de Roland Bonaparte représente l'autre grand volet du chantier. À défaut d'afficher un décor à l'identique, les salons doivent retrouver l'esprit à la fois intimiste et luxueux d'autrefois. L'étude approfondie de l'inventaire des décors et œuvres d'art a permis de mener à terme cette mission fort délicate et de faire réapparaître des richesses masquées par les remaniements successifs.

Dans un premier temps, les experts s'appliquent à reproduire le plan d'origine et s'efforcent de reprendre la circulation initiale des lieux, notamment au niveau des passages dont certains ont été décalés ou simplement murés : « Les portes sont de nouveau là où elles étaient à l'origine », explique Richard Martinet. Chaque pièce, dans la partie historique, retrouve sa destination première. Ainsi, le rez-de-chaussée renoue avec sa vocation de lieu d'accueil, de ravissants salons occupés autrefois par le fumoir et la salle de billard recevront visiteurs et clients de l'hôtel. De même, les salons du premier étage rempliront de nouveau leur rôle de représentation à l'occasion de réceptions ou d'événements mondains.

with four levels of kitchens to serve the hotel's three restaurants via an ingenious system of lifts and elevators. At the same time, the streamlining of this new underground space would ensure swift, simple, and logical movement, characteristics so fundamental to quality service. The restructuring work continued beneath the archway designed by Ernest Janty, now separated from the outside by a large bay window, to accommodate a fifty-two-foot (16 m) swimming pool, complete with an open-air walkway and good-sized spa.

The project's other major challenge was the restoration of Roland Bonaparte's ceremonial rooms. While they did not have to be identical to the original, these lounges had to recapture the intimist but luxurious spirit of yesteryear. A comprehensive perusal of the list of artwork and adornments on display at the time made this difficult mission possible and revealed hidden riches masked by successive refurbishments.

The experts first set about reproducing the original floor plan in an attempt to recreate the site's initial circulatory routes, particularly in the case of passageways that had sometimes shifted place or simply been walled up. "The doors are back once more in their original positions," explains Richard Martinet. Each room in the historic part of the building regained its original purpose. Thus the ground floor resumed its role as a reception area, and the beautiful smoking-and-billiard room reopened to the hotel's guests and visitors in the form of three luxurious lounges. Likewise, the first-floor salons would fulfill their social vocation for wedding receptions and cocktail parties.

By 2010, the one-time princely estate had regained its former glory. Restored for the occasion, the gates to the front courtyard reflected the edifice's solemn bearing. The facade was cleared of its limestone deposits (efflorescence) that encrust stonework exposed to the elements. The front door, replaced at some point by a revolving metal door, was returned to its original state. The five varieties of marble that adorn the entrance paving—including Red Griotte from the Pyrenees, Alpine Green, and Carrara White—look as if they have been newly lain. The Point de Hongrie parquet floor on the ground floor

Pages précédentes : À gauche, parée de précieuses mosaïques, la coupole du couloir vers les salons obéit à la mode orientaliste. À droite, détail des lambris du Salon Bleu.
Page de gauche : Objets de soins et de traitements délicats, les plafonds, coupoles, corniches et entablements ont été minutieusement nettoyés, réparés, repeints et redorés à la feuille par des maîtres artisans français.
Ci-dessus : Comme l'aigle impérial, le palais est prêt à prendre son envol.

Preceding pages, left: Dressed with precious mosaics, the cupola in the corridor that leads guests to the lounges respects Asian tradition; *right:* wainscoting detail from the Salon Bleu.
Facing page: The focus of delicate care and treatment, the ceilings, cupolas, cornices, and entablatures were thoroughly cleaned, repaired, repainted, and regilded with gold leaf by French master craftsmen.
Above: : Just like the imperial eagle, the palace is ready to take flight.

En 2010, l'ancien palais princier a retrouvé son prestige d'antan. Restaurées pour la circonstance, les grilles de la cour d'entrée témoignent de la solennité du bâtiment. La façade est débarrassée du calcin, une croûte de calcaire qui se dépose sur les maçonneries de pierre exposées aux intempéries. La porte d'entrée, remplacée au cours du temps par un tambour en métal, est remise dans son état d'origine. Les cinq variétés de marbre qui décorent le dallage de la galerie d'entrée, dont la griotte des Pyrénées, le vert des Alpes et le blanc de Carrare, paraissent posées de la veille. Les parquets, points de Hongrie au rez-de-chaussée, Versailles au premier étage, sont décapés pour conserver leur aspect ancien. Les lambris sont rénovés et remis patiemment à leur place, un par un. Enfin, les éléments de décor sont traités avec respect et même avec amour. Les fresques du plafond de l'ancienne salle de billard sont, pour citer l'architecte, « laissées dans leur jus », sans que la patine du temps, qui leur donne tant de charme, ne soit effacée.

Au pied de l'escalier et sur le palier du premier étage, soulignés par le garde-corps superbement restauré, les vitraux de style Art nouveau de Jacques Gruber sont démontés et traités pour retrouver leur luminosité. Les panneaux de marbre gris et les stucs de pierre de la galerie sont reconstitués là où ils manquaient. Toujours au premier étage, dans le Salon bleu, les soyeux lyonnais Tassinari et Chatel, grâce aux cartons de l'époque qu'ils avaient conservés, ont permis de restaurer cette pièce et de lui redonner son aspect d'origine. Dans le Grand Salon, dont le style flamboyant rappelle la galerie des Glaces, la restauration s'est effectuée de manière plus conservatrice. L'architecte a retrouvé le plafond d'origine, caché par un faux plafond technique posé dans les années 1930, et il l'a restitué à partir des dessins initiaux. Les boiseries qui manquaient sont refaites et teintées à l'identique ou recouvertes de feuilles d'or. « Là où nos prédécesseurs avaient remplacé la dorure à la feuille par le procédé moderne de la dorure galvanique, nous avons ôté leurs rajouts et sommes revenus à la méthode ancienne », précise-t-il. Captant la lumière, 80 000 feuilles d'or parent les ferronneries et différents éléments

Page de gauche : Dans le Grand Salon, un visage juvénile occupe le centre d'un cartouche pour accentuer le contraste du stuc blanc et des dorures du décor. *Ci-dessus :* Porte à double battant d'un salon en chantier. Et profil altier d'une divinité grecque couronnée de fleurs. *Double page suivante :* Des portes-fenêtres ont été percées dans un mur aveugle pour ouvrir le restaurant gastronomique sur le jardin.

Facing page: In the Grand Salon, a youthful visage in the center of a cartouche accentuates the contrast of white stucco and gilt décor. *Above:* The double doors of a room under renovation. The haughty profile of a Greek goddess crowned with flowers. *Following pages:* A blind wall has been fitted with French doors, so that the gourmet restaurant can open onto the garden.

and the first-story Versailles flooring were stripped to reestablish their antique look. The wainscoting was also refurbished, with each individual panel carefully set back in place. The decorative elements were treated with respect—tender loving care even. The ceiling frescos of the former billiard room were left in their original condition—*"dans leur jus"* (literally, "in their juices") to quote the architect—as the patina of time is what makes them so beautiful.

At the foot of the staircase and on the first-floor landing, accentuated by the beautifully restored railings, Jacques Gruber's Art-Nouveau-style stained glass was taken down and treated to recover its brightness, and missing elements in the gray marble panels and stone stucco in the gallery were reconstituted. Also on the first-floor, the Salon Bleu was restored to its original appearance, thanks to period cartoons retained by the Lyon silk manufacturers, Tassinari and Chatel. The Grand Salon, whose flamboyant style is reminiscent of the Château de Versailles' Hall of Mirrors, received a more conservative treatment. The architect recovered the original ceiling, hidden by a dropped ceiling installed in the 1930s, and reconstructed it according to the original drawings. The missing pieces of decorative woodwork paneling were reproduced and dyed to the same color or covered with gold leaf. "Where our predecessors had replaced overlaying with the modern process of galvanic gilding, we removed their additions and went back to the traditional method," he explains. Capturing the light, eighty thousand pieces of gold leaf adorn the ironwork and various decorative elements with imperial splendor, in keeping with Prince Roland Bonaparte's choice. In the Grand Salon, two mirrors hang opposite one another, replacing the paintings that originally graced the room; burnished and polished, they reflect the sumptuous carved paneling highlighted with gold ad infinitum, creating a dazzling *mise-en-abyme* effect. In the dining room, fourteen layers of blue paint covered the mahogany door decorations and panels; these were carefully stripped away to reveal the beauty of the original color that confers upon it its character, both intimate and grandiose.

Ci-dessus: La structure métallique de la cour intérieure, découverte lors des travaux de déblaiement. De la mezzanine de La Bauhinia, on aperçoit le grand aigle impérial qui gardait la chambre de la princesse Marie.
Page de droite: Le grand lustre en verre de Murano vient d'être suspendu au plafond du restaurant La Bauhinia.

Above: The metallic structure of the inner courtyard, uncovered during clearing work. The great imperial eagle that guarded Princess Marie's bedroom can be seen from La Bauhinia's mezzanine.
Facing page: The large Murano glass chandelier now hanging from the ceiling in the La Bauhinia restaurant.

décoratifs, respectant ainsi le souhait du prince Roland Bonaparte qui avait choisi ce procédé pour faire revivre le faste impérial. Dans le Grand Salon, deux miroirs en vis-à-vis remplacent les tableaux qui l'ornaient à l'origine, repolis et fourbis, ils renvoient à l'infini le décor somptueux des lambris sculptés et rehaussés d'or, offrant au regard une mise en abyme éblouissante. Dans la salle à manger dont les panneaux et les grands motifs de porte en acajou étaient recouverts de quatorze couches de peinture bleue, un décapage fin a permis de découvrir sa belle teinte initiale qui lui donne son caractère à la fois grandiose et intime.

Là où des ornements bien documentés manquent, les architectes se sont permis de faire, par touches légères, des interprétations pleines de tact. Ainsi, ont-ils confié à un artiste peintre le soin de recréer la fresque d'inspiration pompéienne que Marie Bonaparte avait fait transporter au château de Malmaison. Autre souvenir de l'époque, une toile marouflée représentant le prince Roland Bonaparte en tenue d'officier, entouré des instruments de géographe, a été retrouvée dans l'ancienne bibliothèque. Comme elle était en trop mauvais état pour être sauvée, deux copies ont été réalisées pour orner le plafond de ce qui deviendra une élégante et vaste salle de conférence. Bien mis en valeur dans un nouvel espace, ces portraits perpétueront la mémoire des heures fastes du palais Bonaparte en réunissant passé et présent...

Ainsi, grâce à une intervention audacieuse et respectueuse de son illustre passé, l'hôtel particulier de Roland Bonaparte est prêt à se transformer en palace. Mieux, cette demeure quelque peu oubliée et cachée pendant quatre ans par d'inesthétiques échafaudages va retrouver une seconde vie, aussi fastueuse que la première.

L'immeuble reprend donc sa place dans ce quartier résidentiel entre deux pôles architecturaux, l'un datant de l'époque même de sa construction, l'autre, très étendu, orne la colline de Chaillot de bâtiments emblématiques des années 1930.

Premier de ces lieux dont la proximité avec l'hôtel a valeur de symbole, le musée Guimet, place d'Iéna, a ouvert ses portes trois ans après l'inauguration

---

In the case of missing listed decorations, the architects took the liberty of adding a sprinkling of tasteful reproductions. They entrusted an artist with the task of recreating the Pompeian-inspired fresco that Marie Bonaparte had donated to the Musée National du Château de Malmaison. Another memento of the period, a mounted canvas depicting Prince Roland Bonaparte in his officer's uniform, was found in the former library. As it was beyond repair, two copies were made to decorate the ceiling of what was to become an elegant and spacious conference room. Showcased in a new environment, these portraits perpetuate the memory of the Palais Bonaparte's heyday by bringing together past and present.

Thanks to this bold but respectful renovation of its illustrious past, Roland Bonaparte's townhouse was now ready to become a luxury hotel. Better still, the building that had remained hidden and somewhat forgotten for four years beneath unsightly scaffolding was to find a new lease of life, as glorious as in its past.

The edifice thus resumed its rightful place in this residential area between two different architectural hubs: one dating from the period of its construction and the other embracing the Chaillot hill with emblematic buildings of the 1930s. The former, whose proximity to the hotel has a symbolic value, is the Musée Guimet, which opened its doors on place d'Iéna three years after the inauguration of the Bonaparte estate. It embodies the passion of another collector, Émile Guimet, an industrialist from Lyon, and well-traveled amateur of Egyptian and Far Eastern antiquities, who had this museum built to exhibit his collections. Arts from the Middle Kingdom enjoy a particular place of honor. On painted silk scrolls or screens, mustachioed dragons leap from cloud to cloud, while celestial steeds bear the emperor to the top of Jade Mountain. No visit to the museum is complete without a stop at the Galleries of the Buddhist Pantheon, an annex to the museum that brings together nearly 250 Japanese works that belonged to Émile Guimet. Do not forgo the pleasure of taking a little walk amid the bamboos in the beautiful Japanese

du palais Bonaparte. Il incarne la passion d'un autre collectionneur, Émile Guimet, un industriel lyonnais, grand voyageur et amateur d'antiquités provenant de l'Égypte et de l'Extrême-Orient, qui fit construire ce musée pour présenter ses collections. Les arts de l'empire du Milieu y sont particulièrement à l'honneur. Sur des paravents ou des rouleaux de soie peinte, des dragons moustachus sautent de nuage en nuage tandis que des chevaux célestes portent l'empereur au sommet de la montagne de Jade. Il ne faut pas quitter ce lieu sans faire une pause aux galeries du Panthéon bouddhique, une annexe du musée qui réunit près de 250 œuvres japonaises ayant appartenu à Émile Guimet. Ne résistez pas au plaisir de faire quelques pas au milieu des bambous, dans le ravissant Jardin japonais, un endroit un peu secret, où l'on doit garder le silence. Vous pourrez alors méditer sur la beauté et la brièveté des êtres et des choses et entrer dans le Pavillon du thé, perché au-dessus d'une magnifique pièce d'eau.

Autre musée, bâti à la même époque que la demeure de Roland Bonaparte et à trois pas de celle-ci — au 10 avenue Pierre-Ier-de-Serbie — le palais Galliera, d'inspiration Renaissance, repose sur une structure de la Société Eiffel. L'un des plus grands mécènes de l'histoire du XIXe siècle, la duchesse Galliera, avait choisi d'implanter un musée pour abriter ses collections sur la colline de Chaillot. Lorsqu'elle quitte la capitale en 1886 sur un coup de tête, elle le lègue à la France mais emporte ses œuvres d'art. Aujourd'hui le musée Galliera, consacré à la mode, est en cours de restauration. Ses collections reflètent la vie mondaine des classes supérieures depuis le milieu du XVIIIe siècle. Trente mille costumes et autant d'accessoires y sont pieusement conservés et, en raison de leur fragilité, montrés au public lors d'éblouissantes expositions temporaires dans les galeries rythmées par de hautes colonnes de marbre.

Ce premier pôle architectural s'inscrit dans un quartier marqué par l'Exposition universelle de 1889, qui vit le triomphe du fer et l'inauguration de la tour Eiffel. Le second, dans lequel s'enchâsse le nouvel hôtel est celui des années 1930, marqué par l'importante Exposition universelle de 1937, ayant pour thème « Les Arts et Techniques dans la vie moderne ». L'exposition

garden, a kind of secret hideaway where one must remain silent. Here you can meditate upon beauty and the ephemeral nature of sentient beings and things, and enter the Tea Pavilion, perched above a beautiful pool.

Another museum, built at the same time as Roland Bonaparte's mansion and located very close to it—at 10, avenue Pierre Ier de Serbie—is the Palais Galliera, Renaissance in style and featuring a structure designed by Gustave Eiffel's engineering company. One of the greatest patrons in nineteenth-century history, Duchess Galliera chose to establish a museum on the Chaillot hill to accommodate her collections. When she left the capital in 1886 on a whim, she bequeathed it to France but took her artworks with her. Today the Musée Galliera, devoted to fashion, is being restored. Her collections reflect the high-society life of the upper classes since the mid-eighteenth century. Thirty thousand costumes and as many accessories are religiously preserved there; due to their fragile nature, they are on show to the public during dazzling temporary exhibitions in galleries punctuated by tall marble columns.

While this first architectural hub was largely influenced by the 1889 World's Fair, which saw the triumph of iron and the inauguration of the Eiffel Tower, the latter district—and the setting for this new hotel—is anchored in the 1930s and marked by the 1937 International Exposition of Art and Technology in Modern Life. The show spanned the Champ de Mars and the Trocadéro gardens, occupying various buildings, including the Palais de Chaillot, built on the site of the old Palais du Trocadéro.

It is, of course, the view—the most spectacular in all of Paris—of the Eiffel Tower that draws one to the esplanade of the Trocadéro. Extending this vast mineral space are gardens interspersed with fountains, including the Fontaine de Varsovie with its crescendo of water sprays that then cascade into eight water staircases. Later called the Parvis des Libertés et des Droits de l'Homme (Plaza of Liberty and Human Rights) and immortalized by famous photographers including Robert Doisneau, the esplanade is invaded during the day by intrepid inline skaters. Located between the Musée de l'Homme and the Palais de

Double page précédente : Depuis la suite Shangri-La, on admire l'enfilade des ponts de l'Alma, des Invalides, Alexandre-III et de la Concorde, tandis que le Louvre s'inscrit perpendiculairement au-dessus de la Seine. *Page de gauche :* Les mascarons ont été nettoyés, le petit pavillon (*à gauche*) de l'hôtel a été habillé d'arbustes et de plantes, le palais est prêt à accueillir ses premiers hôtes. *Ci-dessus :* La lumière dore la façade en pierre de taille qui vient de retrouver toute sa majesté.

Preceding pages: From La Suite Shangri-La, one can admire a series of Parisian bridges, including the pont d'Alma, pont des Invalides, pont Alexandre III, and pont de la Concorde, while the Louvre stands perpendicularly above the Seine. *Facing page, right:* The mascarons have been cleaned; *left:* the small hotel lodge has been dressed with shrubs and plants. The hotel is ready to welcome its first guests. *Above:* The dressed stone facade that has regained its full majesty basks in golden light.

Ci-dessus, de gauche à droite : Détail de la façade du musée Galliera. La gracieuse passerelle Debilly, construite en 1900. Derrière la statue équestre de Washington, on aperçoit le musée Guimet. Construit en 1937, le palais de Tokyo s'inscrit dans la monumentalité, typique de l'Art déco. *Page de droite :* Ces statues en bronze doré ponctuent l'esplanade du Trocadéro.

Above, from left to right: Facade detail from the Musée Galliera; the graceful Debilly footbridge, built in 1900; behind the equestrian statue of Washington, the Musée Guimet can be seen; built in 1937, the Palais de Tokyo embraces typical Art-deco monumentality. *Facing page:* These gilded bronze statues punctuate the Trocadéro esplanade.

s'étend sur le Champ-de-Mars et dans les jardins du Trocadéro, occupant entre autres bâtiments le palais de Chaillot bâti sur l'emplacement de l'ancien palais du Trocadéro.

C'est forcément la vue – spectaculaire entre toutes – de la tour Eiffel qui vous attire sur l'esplanade du Trocadéro. Ce vaste espace minéral se prolonge par des jardins entrecoupés de bassins desquels la fontaine de Varsovie s'épanouit en gerbe avant de s'écouler dans huit escaliers d'eau. Appelé plus tard le Parvis des Libertés et des Droits de l'Homme et immortalisé par de célèbres photographes dont Robert Doisneau, il est envahi la journée par d'intrépides amateurs de rollers. Situé entre le musée de l'Homme et le palais de Chaillot, il permet aux promeneurs de reprendre leur respiration avant de commencer la visite.

Par son architecture monumentale, le palais de Chaillot s'impose comme l'une des compositions urbaines les plus symboliques de la capitale puisque, dans l'axe du Champ-de-Mars, il participe à la mise en scène de la tour Eiffel. Composé d'une immense rotonde, il abrite un espace central sous lequel est construit le Théâtre national de Chaillot qu'encadrent deux grandes ailes en demi-cercle.

Il faut du temps pour apprécier toutes les richesses du patrimoine culturel réparti dans les différents musées réunis sous le toit du palais de Chaillot. Poussez la porte du musée de la Marine. Des maquettes de navires de toutes les époques, des scènes de batailles navales, des armes, des instruments de navigation et des uniformes retiendront votre attention. Vous ne pourrez ignorer deux pièces majeures, la barque d'apparat de Napoléon et la poupe de *La Réale*, la galère de Louis XIV, somptueusement décorée.

Dans l'autre aile, la Cité de l'architecture et du patrimoine est le plus grand centre d'architecture du monde. Elle regroupe le musée des Monuments français et l'Institut français d'architecture. Pour le touriste pressé, le musée des Monuments est une véritable aubaine car plusieurs salles permettent de faire en une journée le tour de France des cathédrales et des châteaux et de les admirer dans leurs plus infimes détails.

Chaillot, it gives museum-goers a chance to catch their breath before starting their visit.

With its monumental architecture, the Palais de Chaillot stands as one of the capital's most iconic urban compositions; directly in line with the Champ de Mars, it helps showcase the Eiffel Tower. Composed of a huge rotunda, it contains a central space beneath which lies the Théâtre de Chaillot, framed by two large semicircular wings.

Time is needed to appreciate the wealth of cultural heritage spread over the various museums within the Palais de Chaillot. Push open the door to the maritime museum, the Musée de la Marine, and models of ships from all eras, naval battle scenes, weapons, marine instruments, and uniforms will grab your attention. There are two major pieces you cannot ignore: Napoleon's ceremonial barge and the gorgeously decorated stern of *La Réale*, Louis XIV's flagship.

In the opposite wing is the world's largest architectural center: the Cité de l'Architecture et du Patrimoine. It houses the Musée des Monuments Français (Museum of French Monuments) and the Institut Français d'Architecture (French Institute of Architecture). For the tourist in a hurry, the Musée des Monuments is a real bargain: several rooms make it possible to tour France's cathedrals and chateaus in just one day and admire them down to their smallest details.

Dating from the 1930s, like the Palais de Chaillot, the Palais de Tokyo, extending down the hill to the Seine, has professed its affiliation to the contemporary art scene ever since its construction. Built on the site of a military storehouse and the Polish embassy, the Palais de Tokyo, with its beautifully carved facade, presented a retrospective of French art in 1937 for the International Exposition. Dedicated thereafter to the promotion of modern and contemporary art, it became a Site de Création Contemporaine in 2002. Its east wing houses the Musée d'Art Moderne de la Ville de Paris (Paris Museum of Modern Art) whose permanent collections retrace the major artistic movements of the twentieth century, including Raoul Dufy's masterpiece,

Page de gauche : À quelques pas du Shangri-La, les jets d'eau de la fontaine de Varsovie et ses bassins en cascade font une haie d'honneur au monumental palais de Chaillot. *Ci-dessus :* Sculptée par Louis Dejean, la belle odalisque du palais de Tokyo pose depuis 1937 pour des milliers de photographes.

Facing page: A short walk from the Shangri-La, the water sprays from the Varsovie fountain, and its cascading pools provide a guard of honor for the monumental Palais de Chaillot. *Above:* Carved by Louis Dejean, the beautiful odalisque of the Palais de Tokyo has posed for thousands of photographers since 1937.

Ci-dessus : De la suite Shangri-La, on aperçoit la maison de la famille Eiffel d'où l'on a une vue incomparable sur la tour. La façade Art déco du Conseil économique et social, construit en 1933 par Auguste Perret.
Page de droite : Le ravissant jardin du musée Galliera offre son écrin de verdure pour une pause bienfaisante.

Above: From La Suite Shangri-La, the Eiffel family's home with its unparalleled view of the Iron Lady can be seen. The Art-deco facade of the Economic and Social Council built in 1933 by Auguste Perret.
Facing page: The Musée Galliera's lovely garden provides a verdant setting for a peaceful break.

Datant des années 1930 comme le palais de Chaillot, le palais de Tokyo, qui descend de la colline jusqu'à la Seine, revendique depuis sa construction son appartenance à la scène artistique contemporaine.

Érigé sur les terrains de la manutention militaire et de l'ambassade de Pologne, le palais de Tokyo, dont la façade s'orne d'un magnifique décor sculpté, présente dès 1937 pour l'Exposition universelle une rétrospective de l'art français. Destiné par la suite à la mise en valeur de l'art moderne et contemporain, il devient en 2002 un Site de création contemporaine. Son aile est abrite le musée d'Art moderne de la Ville de Paris dont les collections permanentes retracent les principaux courants artistiques du XXe siècle avec, entre autres, *La Fée Électricité*, le chef-d'œuvre de Raoul Dufy, gigantesque peinture formée de 250 panneaux qui vous attend dans la grande salle d'honneur.

En face du palais de Tokyo, sur la rive gauche de la Seine, le musée du quai Branly se réclame également de « La Colline des musées », un label qui réunit quatre grandes institutions culturelles bâties autour de la butte de Chaillot. Son architecture moderne contraste avec la monumentalité des bâtiments des années 1930. Construit en 2006 par Jean Nouvel, ce curieux bâtiment affiche en façade des avancées rouge, ocre et sable qui s'emboîtent les unes dans les autres. Dans un vaste espace sans cloison, conçu comme un parcours initiatique, on découvre la magie des Arts premiers où la créativité des civilisations africaines, océaniennes et asiatiques, accompagnée de musiques ethniques, est mise en scène avec sobriété. À l'extérieur, la végétation s'invite grâce à un spectaculaire mur végétal, tandis qu'au pied du musée un jardin entrecoupé de sentiers bordés de graminées, de bambous et de fleurs propose son théâtre de verdure. Si vous aimez Paris la nuit, pourquoi n'iriez-vous pas dîner sur le toit du restaurant Les Ombres, également conçu par Jean Nouvel. Un spectacle éblouissant vous attend ! Votre regard sera attiré irrésistiblement de l'autre côté de la Seine par les terrasses illuminées des suites du Shangri-La Hotel, Paris théâtres de brillantes réceptions et de tendres soupers en tête à tête dans un cadre grandiose. Sous le ciel étoilé, votre imagination s'envolera, le temps s'arrêtera et — le croirez-vous ? — la tour Eiffel ne scintillera que pour vous !

La Fée Électricité, a huge painting made up of 250 panels that awaits visitors in the great hall.

Across from the Palais de Tokyo, on the Left Bank, the Musée du Quai Branly also clamors to be part of "Museum Hill," a seal of recognition belonging to four major cultural institutions built around the Butte de Chaillot. Its modern architecture stands in contrast to the monumental buildings of the 1930s. Built in 2006 by Jean Nouvel, this intriguing building features red, ochre, and sable-colored projecting units that slot together. In a vast, unpartitioned space, designed as a journey of initiation, visitors can discover the magic of primitive art in a serene orchestration of the creativity of African, Asian, and Pacific civilizations set to ethnic music. Outside, vegetation beckons thanks to a spectacular "green wall," and at the foot of the museum, paths edged with different grasses, bamboo, and flowers zigzag through a garden that stages a verdant show of its own. If you like Paris by night, why not dine at the rooftop restaurant, Les Ombres, also designed by Jean Nouvel? A dazzling show awaits you! Glittering receptions and romantic dinners for two will draw your ready gaze to the illuminated terraces of Shangri-La Hotel, Paris' suites on the other side of the Seine. Take off on a flight of fancy, as time stands still, and—would you believe it?—the Eiffel Tower sparkles for you and you alone!

UN ART DE VIVRE
ENTRE LA CHINE ET L'OCCIDENT

An art of living, a blend of China and the West

Ci-contre : Détail
d'un vase géant qui
accueille les visiteurs
sur le perron du palais.
Double page suivante : L'ancien
salon d'attente du prince
Bonaparte. L'imposante
cheminée a conservé
ses sculptures de bronze
réalisées d'après les statues
de Michel-Ange qui veillent
sur les tombeaux des
Médicis à Florence.

Facing page: Detail from
a large Chinese vase that
welcomes visitors
on the hotel's front steps.
Following pages: Prince
Bonaparte's former parlor.
The imposing fireplace
has retained its bronze
sculptures, inspired
by Michelangelo's statues
that watch over the tombs
of the Medici family
in Florence, Italy.

Décembre 2010 ! L'émotion est à son comble au 10 avenue d'Iéna : salué par la presse internationale, Shangri-La Hotel, Paris a ouvert ses portes depuis quelques jours.

À en juger par un surcroît d'animation qui règne dans le 16e arrondissement, quelque chose a changé. Des limousines, des taxis et d'élégantes berlines s'arrêtent devant le portail ouvragé d'un magnifique immeuble. Les habitants du quartier se plaignent-ils de ces nombreuses allées et venues au cœur de ce Paris résidentiel et un peu trop tranquille ? Bien au contraire : cette adresse prestigieuse, adoptée immédiatement par les riverains, est devenue un lieu de rendez-vous ! Cet événement était attendu depuis longtemps par le milieu parisien : on savait que l'ancienne demeure de Roland Bonaparte était devenue la propriété du fondateur du groupe Shangri-La Hotels and Resorts. Connu pour son goût impeccable et sa passion pour la culture française, cet éminent francophile a en effet choisi Paris, parmi les autres capitales, pour ouvrir son premier hôtel en Europe. Mais personne ne pouvait imaginer avec quel brio

When December 2010 finally arrived, excitement was at its height at 10, avenue d'Iéna: lauded by the international press, Shangri-La Hotel, Paris had just opened its doors. And judging by the hubbub in Paris' generally serene sixteenth arrondissement, change was afoot. Limousines, taxis, and elegant sedans pulled up in front of the ornate gates of a beautiful building. Did the locals complain about these constant comings and goings in the heart of this residential district that was perhaps just a little bit too quiet? Au contraire! This prestigious address immediately became the darling of its neighbors and a popular haunt. In fact, Parisian circles had long awaited this event, as it was common knowledge that Roland Bonaparte's former estate had become the property of Shangri-La Hotels and Resorts. Known for his impeccable taste and passion for French culture, this eminent Francophile had chosen Paris, of all the European capitals, as the home of his first hotel in Europe. Yet no one could have imagined how brilliantly this former palace, battered by the work of both time and men, would regain its former glory.

Ci-dessus : L'aménagement de l'avant-cour de l'hôtel a été confié au paysagiste Louis Benech. Devant le perron, s'arrêtent de prestigieuses berlines. Les très grands vases d'inspiration Ming qui accueillent les visiteurs ont été réalisés par un célèbre artiste chinois. *Page de droite :* Sur le sol de l'entrée, une mosaïque de marbre dessine un damier et des motifs géométriques.

Above: The hotel forecourt is the work of landscape artist Louis Benech. Elegant sedans pull up in front of the entrance. The large vases, created in the Ming-Dynasty style by a famous Chinese artist, welcome visitors. *Facing page:* A marble mosaic on the floor of the entry hall depicts geometric and checkerboard motifs.

cet ancien palais, malmené par le temps et les hommes, allait reconquérir ses lettres de noblesse.

Peut-on rêver d'une situation plus idéale ? Situé sur la colline de Chaillot, le Shangri-La Hotel, Paris domine les quais de la Seine. La proximité de l'eau, l'ensoleillement et la distribution harmonieuse des volumes intérieurs contribuent à créer un sentiment de bien-être presque palpable dès que l'on pénètre dans le nouveau palace parisien. Pourtant, le mot de « palace » ne correspond pas vraiment à la philosophie du groupe hôtelier ! Comme les autres établissements situés majoritairement en Asie, ce dernier fleuron de l'hôtellerie illustre à travers les prestations proposées à sa clientèle les cinq valeurs sur lesquelles se basent l'hospitalité et le savoir-vivre oriental : humilité, respect, courtoisie, générosité du cœur et sincérité. À tous les niveaux de sa hiérarchie, le personnel du Shangri-La Hotel, Paris, discret, disponible et enthousiaste, qui représente plus de trois cent cinquante personnes de diverses nationalités, incarne ces vertus cardinales : une attitude quasi révolutionnaire dans les hautes sphères de l'hôtellerie !

Dès son ouverture, les Parisiens un peu curieux s'empressent de visiter ce lieu historique et de goûter l'hospitalité « made in Asia » légendaire du groupe Shangri-La Hotels and Resorts. Après avoir franchi les hautes grilles de fer forgé, ils entrent dans une avant-cour pavée blottie dans la verdure – une réalisation du paysagiste Louis Benech – qui met la façade en valeur. Inspirée par le style Louis XV et rythmée par des balcons, médaillons et blasons à têtes de lion, cette façade blanche en pierre de taille a gardé toute sa majesté.

Salués par deux portiers de belle prestance qui lèvent leur chapeau à leur arrivée, les visiteurs gravissent sous la marquise de verre les marches du perron qui conduisent au Lobby, avec la délicieuse sensation de pénétrer dans une demeure privée. Une lumière dorée les accueille : au sol paré de mosaïques de marbre fait écho la couleur crémeuse des murs accentuée par l'éclairage des lustres et les rayons du soleil qui se glissent au bout du hall. De part et d'autre de cet espace lumineux, des petits salons intimes, disposés en face de la réception, proposent des sièges et canapés de style Directoire qui permettent aux visiteurs

---

Could anyone dream of a more perfect location? Set on the Chaillot hill, Shangri-La Hotel, Paris overlooks the banks of the Seine. Its proximity to water, south-facing orientation, and harmonious interior design create an almost palpable sense of wellbeing as soon as you enter this new luxury hotel's palatial front door. Yet the term "palace" is not really in keeping with the hotel group's philosophy. Like its other establishments in Asia, this latest jewel in Shangri-La Hotels and Resorts illustrates, through its first-class service, the five fundamental tenets of Eastern hospitality: humility, respect, courtesy, generosity from the heart, and sincerity. Discreet, available, and enthusiastic, Shangri-La Hotel, Paris' staff, made up of over 350 people of various nationalities, embodies these cardinal values at every hierarchical level—a virtually revolutionary concept in the upper echelons of the hotel industry!

Since the hotel's opening, Parisians with an ounce of curiosity have flocked to this historic site to savor the Shangri-La Hotels and Resorts group's legendary "made-in-Asia" hospitality. After passing through the high wrought-iron gates, visitors enter a paved forecourt nestled in greenery—created by landscape artist Louis Benech—that showcases the building's facade. Inspired by the Rococo style of Louis XV and punctuated by balconies, medallions, and lion-headed coats of arms, the white frontage in dressed stone has retained all of its majesty.

After being greeted by two doormen of elegant bearing who raise their hats to them, new arrivals, with the delicious sensation of entering a private residence, ascend a flight of stairs below a glass canopy that leads to the lobby. Golden lighting welcomes them; the marble mosaics that grace the floor echo the creamy hue of the walls, accentuated by the glow of chandeliers and the rays of sunlight that reach the very end of the lobby. On either side of this inviting area, small intimate lounges, arranged in front of the reception area, offer Directoire-style chairs and sofas for guests to wait for their visitors in a luxurious and comfortable setting over a cup of tea or a drink.

Page de gauche : Dans le hall d'entrée, de mystérieuses montagnes (dessin à l'encre sur papier), œuvres d'artistes chinois contemporains, introduisent une note d'exotisme au-dessus d'une console Directoire.
Ci-dessus : À son arrivée, le client est accueilli par l'équipe de concierges dirigée par Tony Le Goff, passionné d'histoire et des trésors culturels de Paris.

Facing page: In the main lobby, mysterious mountains (ink drawing on paper) by contemporary Chinese artists provide an exotic note above a Directoire console.
Above: Upon arrival, guests are greeted by the concierge team headed by Tony Le Goff, a man with a passion for history and the cultural treasures of Paris.

Double page précédente : Dans ce salon, mobilier, objets d'art et tableaux créent une ambiance conviviale, tout le contraire de la froideur des halls d'hôtel. *Ci-dessus :* Un bouquet de roses fraîches et une tasse de café permettent au visiteur de patienter. Une armoire chinoise sert de rangement dans l'ancienne salle de billard. *Page de droite :* Dans ce salon intime, l'ancien fumoir, on s'imagine volontiers être l'invité d'une grande famille française.

Preceding pages: In this room, furniture, objets d'art, and paintings create a warm atmosphere, quite different from the coldness of conventional hotel lobbies. *Above:* A bouquet of fresh roses and a cup of coffee help visitors pass the time while waiting. A Chinese cabinet is used for storage in the former billiard room. *Facing page:* In this cozy lounge, the former smoking room, it is easy to imagine oneself as the guest of a great French family.

d'attendre leur rendez-vous dans une ambiance luxueuse et confortable en prenant un verre ou une tasse de thé.

Un œil avisé remarquera le raffinement des détails qui évoquent les passions du prince Bonaparte et les arts de l'Extrême-Orient. Or, cette juxtaposition n'a rien de révolutionnaire ! Dès le XVIIIe siècle, l'art de la Chine jouit d'une immense popularité en Europe. La porcelaine de l'Empire céleste est connue dès la Renaissance. Importé en Angleterre à partir du XVIIe siècle, le thé arrive en France suite à l'anglomanie qui s'empare des salons à la mode. Vient alors la mode des chinoiseries auxquelles de grands artistes français, comme Watteau et Boucher, ne sont pas insensibles. On copie les étoffes chinoises, on collectionne les jades, les ivoires, les estampes et les rouleaux de soie peinte et l'on construit des pagodes dans les parcs. L'alliance de l'Occident et de l'Orient qui fait le charme du Shangri-La Hotel, Paris n'est donc pas une invention contemporaine : c'est un dialogue savoureux entre deux cultures orchestré avec bonheur.

Utilisés autrefois comme fumoir, salle de billard ou agréable antichambre, trois salons offrent un aperçu du décor. De l'époque princière, le premier a conservé une imposante cheminée de bois dont le linteau supporte de remarquables statues de bronze. Le deuxième a perdu sa table de billard mais gardé un splendide plafond peint à décor pompéien. L'attente qui donne le temps de regarder autour de soi devient plaisir. Filtrant à travers des vitraux et parsemant de reflets le sol de marbre, la lumière qui joue avec les ors nous guide vers l'un des joyaux de l'hôtel : sous une double rotonde, l'escalier d'honneur, tout en marbre, granit et dorures, est sous la garde d'une sculpturale esclave noire qui brandit une torchère. Plus modeste, assis sous une alcôve au bas des marches, un enfant joufflu personnifiant le Génie de la Science éclaire le monde… et les visiteurs.

La dentelle des grilles de fer forgé rehaussées de cuivre ciselé, les balcons à l'italienne qui surplombent la volée de marches de marbre et le garde-corps gracieusement incurvé, où le chiffre B entouré de lauriers alterne avec des couronnes dorées, traduisent le faste impérial.

A keen eye will notice the elegant details that bring to mind the passions of Prince Bonaparte and the arts of the Far East. Yet there is nothing ground-breaking about such juxtaposition. Chinese art has been popular in Europe since the eighteenth century. Porcelain from the Celestial Empire has been famed since the Renaissance. Imported to England from the seventeenth century onward, tea arrived in France following the Anglomania that took fashionable circles by storm. Then came the vogue for Chinoiserie to which great French artists, such as Watteau and Boucher, were not immune. Reproductions of Chinese fabrics appeared, as did collections of jade, ivory, prints, and painted silk scrolls; and pagodas were built in parks. The blend of Eastern and Western cultures that makes Shangri-La Hotel, Paris so charming is therefore no modern invention—it is the happy orchestration of a delectable dialogue between two very different parts of the world.

Once used as a smoking room, billiard room, and comfortable antechamber, three lounges afford a glimpse of the former décor. From Prince Bonaparte's day, the first has conserved an imposing wooden fireplace whose mantel bears some remarkable bronze statues. The second no longer has its billiard table but retains a wonderful painted ceiling in the Pompeian style. Waiting becomes a pleasure, as one takes the time to look around. Filtered through stained glass and dotting the marble floor with its reflections, the interplay of light on the gilding leads us toward one of the hotel's treasures: beneath a double rotunda, the grand staircase—of marble, granite, and gilding—is under the watchful eye of a slave girl sculpture brandishing a torchère. Seated in an alcove at the bottom of the stairs, a more modest representation of a chubby-cheeked child personifying the Genius of Science brings light to the world and visitors alike. The tracery wrought-iron railings embellished with engraved copper, the Italian-style balconies overlooking the marble staircase, and the graceful curves of the banisters, on which the letter "B" surrounded by laurels alternates with golden crowns, are all indicative of imperial splendor.

Page de gauche : Conçu comme un rideau pour épouser l'arche, le vitrail Art nouveau indique l'entrée du bar. *Ci-dessus :* Le cocktail « Pink Lady » cher à lady Mendl qui habitait au palais dans les années 1930. Dans le bar, clin d'œil au décor « retour d'Égypte » avec le mobilier Directoire et la peinture par Thierry Brunet. *Double page suivante :* Le bar évoque une tente militaire de la campagne napoléonienne.

Facing page: Designed as a drape fitted around the archway, the Art-Nouveau stained glass marks the entrance to the bar. *Above:* The Pink Lady cocktail, so dear to Lady Mendl who resided here in the 1930s. In the bar, an allusion to the *retour d'Egypte* (return-from-Egypt) style with Directoire furniture and Thierry Brunet's painting. *Following pages:* The bar is evocative of a military tent during the Napoleonic campaigns.

C'est d'ailleurs dans ce style qu'est planté le décor du bar, un clin d'œil aux campagnes napoléoniennes. Tendus de toile rayée comme la tente d'un général d'armée, les murs servent de cimaises à deux grandes scènes équestres. Les amateurs d'histoire se réjouissent de l'esprit « retour d'Égypte » du lieu. Prendront-ils siège au fond d'un canapé ou se percheront-ils sur un tabouret, face au bar d'acajou pour tenter de percer les secrets des cocktails de Christophe Léger, chef barman ? Délaissant une prestigieuse adresse de la place Vendôme où il officiait jusque-là, sa clientèle très fidèle l'a suivi au bar du Shangri-La Hotel, Paris pour savourer en musique ses dernières créations, avec ou sans alcool ! Réinterprétant à sa façon le fameux « Pink Lady » en l'honneur de la flamboyante lady Mendl, il concocte d'étonnantes variations dont le « Red Flag » un cocktail viril à base de wasabi, de cognac et de champagne et l'incontournable « Pékin Express » qui allie avec de l'ananas frais, de la coriandre et du rhum blanc, fraîcheur et exotisme…

Dès que l'on fait quelques pas dans le hall, on est attiré par un puits de lumière qui éclaire l'ancien vestibule du palais. En s'approchant avec curiosité de cette source lumineuse, on se trouve à l'entrée de La Bauhinia, un restaurant aménagé sous une coupole de verre. Ponctuée de touches asiatiques, où le vert céladon servant de toile de fond aux soies peintes répond au rouge des sièges, cette élégante rotonde doit son nom à une orchidée, la fleur emblématique du groupe qui orne le drapeau de Hong Kong. Abritée par la verrière qui lui confère l'aspect d'un jardin d'hiver, la salle est baignée de lumière toute la journée. De l'imposante structure métallique pend un monumental lustre de Murano qui brille de mille feux le soir venu. C'est dans ce cadre floral et poétique qu'une clientèle d'affaires aime se retrouver pour le petit déjeuner ; on y déjeune entre amis et, l'après-midi, on y déguste les plus grands thés du monde avant d'y revenir souper le soir. Dynamisant l'espace, une mezzanine soulignée par une balustrade en fer forgé fait le tour de la pièce. Pour converser tranquillement, les meilleures tables – 32 et 38

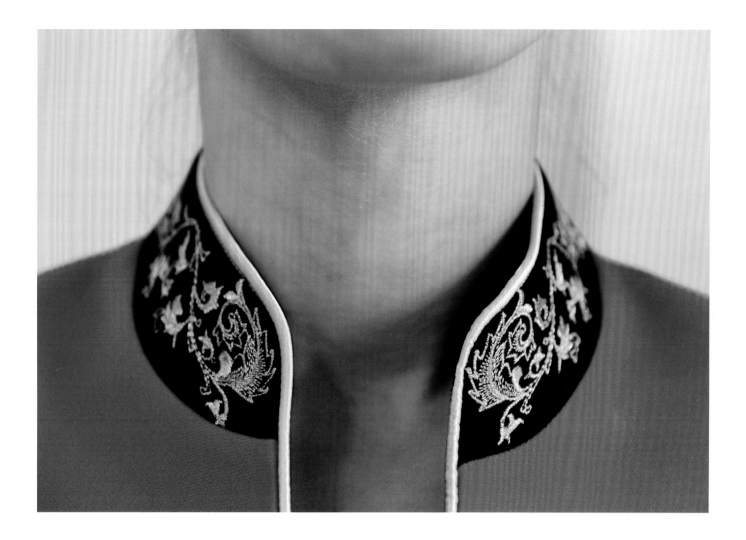

A similar style sets the tone in the bar, with a nod to Napoleon's military campaigns. Hung with striped canvasses like the tent of an army general, the walls serve as picture rails for two large equestrian scenes. History buffs will love the *retour d'Egypte* (return-from-Egypt) feel of the place. Will they sink into a sofa or sit perched on a stool facing the mahogany bar in an attempt to unravel the secrets of head barman Christophe Léger's cocktails? Leaving behind a prestigious address on place Vendôme, Léger's loyal customers followed him to Shangri-La Hotel, Paris to sip his latest creations—with or without alcohol—to music. With his own take on the famous Pink Lady, in honor of the flamboyant Lady Mendl, he concocts some amazing variations, including the Red Flag, a potent cocktail made from wasabi, cognac, and champagne, and the not-to-be-missed Beijing Express, a fresh and exotic blend of pineapple, coriander, and white rum.

As soon as you take a few steps into the hallway of the lobby, your gaze will be drawn to a skylight that illuminates the mansion's former vestibule. When curiosity bids you to draw nearer to this light source, you'll find yourselves at the entrance of La Bauhinia, a restaurant housed beneath a glass dome. Punctuated with Asian touches, where the celadon green backdrop to the silk paintings contrasts with the red of the seats, this elegant rotunda is named after an orchid, Shangri-La Hotel and Resorts' group's emblematic flower that adorns the flag of Hong Kong. Sheltered beneath the glass roof that gives it the appearance of a winter garden, the room is bathed in light all day long. From the imposing metal structure hangs a monumental Murano glass chandelier that glints and sparkles come nightfall. It is in this floral, poetic setting that professionals on business trips like to meet for breakfast and friends meet over lunch together or enjoy the world's finest teas in the afternoon before dining there in the evening. A mezzanine enhanced by a wrought-iron railing adds a dynamic touch to the room. For quiet conversations, the best tables—32 and 38 for those in the know—are to be found at this upper level, from

Page de gauche : L'hôtel tout entier est fleuri avec faste ou modestie, comme le montre ce savant alignement de bouquets de roses.
Ci-dessus : De délicates broderies à la mode asiatique parent la tenue des hôtesses dédiées à l'accueil.

Facing page: Floral arrangements, both lavish and modest, like these smartly aligned bouquets of roses, grace the entire hotel.
Above: Delicate Asian-style embroidery adorns the personnel's uniforms at the front desk.

Ci-dessus : Avant de briller de tous ses feux, le grand lustre de Murano capte la lumière sous la coupole de verre de La Bauhinia. *Page de droite :* On réussit son entrée au restaurant comme sur la scène d'un théâtre. De part et d'autre, les escaliers mènent à la mezzanine où sont dressées les plus jolies tables.

Above: Before sparkling in all its glory, the great Murano glass chandelier captures light beneath the glass dome of the La Bauhinia restaurant. *Facing page:* Entering the restaurant is akin to making a stylish stage entrance. On either side, staircases lead to the mezzanine, where the most handsome tables await.

Page de gauche : Servi dans une théière en verre, le thé blanc aux fleurs de jasmin et de souci est servi avec un *cupcake* mont-blanc.
Ci-dessus : Des cloches de verre ont été créées pour présenter les *cupcakes* du thé.

Facing page: Served in a glass teapot, white tea with jasmine and marigold flowers is served with a Mont Blanc cupcake. *Above:* The bell jars were specially designed for presenting the tea cupcakes.

Ci-dessus : Champagnes et vins blancs à l'heure du thé. Le décor de La Bauhinia permet d'imaginer un instant que l'on est en Asie. *Page de droite :* Une des plus agréables tables de La Bauhinia pour un déjeuner en tête à tête. *Pages suivantes :* Un mont-blanc avec son sorbet cassis, dessert favori à La Bauhinia, création du chef pâtisssier François Perret, et le thé vert servi, comme il se doit, dans une théière en bronze.

Above: Champagne and white wines at teatime. La Bauhinia's décor gives guests the fleeting sensation of being in Asia. *Facing page:* One of the best tables for a private lunch date at La Bauhinia. *Following pages:* A Mont Blanc served with blackcurrant sorbet, a favorite dessert at La Bauhinia, a creation by pastry chef François Perret. Green tea is served, as is only fitting, in a bronze teapot.

pour les initiés – se situent à ce niveau d'où, un peu plus près du lustre étonnant de légèreté malgré son volume, on admire le grand aigle de pierre, qui sous son balcon, veillait sur le sommeil de Marie Bonaparte.

Pour les fins gourmets, le dîner à L'Abeille est le point culminant de la journée. Plus intime que La Bauhinia, ce restaurant gastronomique s'ouvre sur un jardin. Ainsi baptisé en honneur de la petite ouvrière chère à Napoléon, il propose une cuisine raffinée élaborée par le chef Philippe Labbé, doublement étoilé par le guide Michelin 2012. Dans un décor composé d'un savant dégradé de gris et de beige, les couples se réunissent autour de tables joliment nappées pour partager un moment exceptionnel de convivialité et de gourmandise. Pour un tendre tête-à-tête, choisissez une des ravissantes tables pour deux près des fenêtres.

À peine de retour dans le Lobby, l'escalier d'honneur semble nous inviter à explorer le premier étage, réservé en partie à des réceptions privées. Et, sur la pointe des pieds, nous arrivons dans un salon d'attente en rotonde avant de découvrir l'enfilade de salons. Effectuée dans le respect absolu du lieu, la restauration permet d'apprécier le travail méticuleux des maîtres d'œuvre et des artisans et de constater leur parfaite connaissance des styles des XVIII et XIXe siècles.

Après avoir traversé un passage surmonté d'une coupole tapissée de mosaïques, on entre dans une première pièce, le Salon de Famille, où des lambris ornés de médaillons à l'antique voisinent avec des panneaux de soie azur. Une double porte vitrée le relie au Salon de Famille qui arbore des fresques copiées d'après celles que Marie Bonaparte donna au château de Malmaison. De gracieuses figures mythologiques y forment un cortège où s'invitent putti couronnés de fleurs et nymphes aux ailes de papillons. Dans le salon de famille furent célébrées en 1907 les fiançailles de Marie avec le prince Georges de Grèce et de Danemark. Une photographie de l'époque montre le jeune couple, lui fringant dans son uniforme sombre, elle, un peu pensive, assise sur une méridienne, devant un lambris peint où une femme, vêtue à l'antique, déploie ses

where, slightly closer to the chandelier of astonishing lightness despite its size, one can admire the great stone eagle that once watched over Marie Bonaparte's slumber from beneath her balcony.

For epicures, dinner at L'Abeille (The Bee) is the highlight of the day. More intimate than La Bauhinia, this gourmet restaurant opens onto a garden. Named in honor of the small worker so dear to Napoleon, it offers fine dining prepared by chef Philippe Labbé, two Michelin stars to his credit in 2012. In a setting composed of subtle shades of gray and beige, an exceptional and convivial dining experience awaits you. For a romantic dinner for two, opt for one of the prettily dressed tables near the windows.

Back in the lobby, the grand staircase seems to beckon you to explore the second floor, part of which is reserved for private receptions. Treading softly, you arrive in a circular waiting area before discovering the suite of adjoining rooms. Fully committed to preserving the former townhouse's spirit, the restoration work affords an insight into the meticulous work of the contractors and craftsmen and their perfect knowledge of eighteenth- and nineteenth-century styles.

After crossing a passageway surmounted by a mosaic-covered dome, visitors enter the Salon de Famille, where wood paneling adorned with medallions in the classical style stands next to panels of azure silk. Double glass doors connect it to the Salon de Famille that features frescos copied from those that Marie Bonaparte donated to Malmaison. They depict kindly mythological figures forming a procession, joined by putti wearing floral crowns and nymphs with butterfly wings. Marie's engagement to Prince George of Greece and Denmark was celebrated in this Salon de Famille in 1907. A photograph from the time shows the young couple—he, dashing in a dark uniform and she, somewhat pensive, sitting on a chaise longue before a painted panel on which a woman attired in the classical style spreads her swan's wings (see picture on page 40). Today this same setting forms the backdrop to very Parisian engagement parties, lavish weddings, and prestigious events. Yet the refined décor of these two rooms cannot compete with the splendor of the third. The Grand Salon is an

Page de gauche : Détails raffinés : La collection de vases s'harmonise au papier peint. *Ci-dessus :* Devant l'orchidée emblématique, se trouve la vaisselle de La Bauhinia dessinée par Pierre-Yves Rochon. *Double page suivante :* Décliné en vert céladon et rouge, le restaurant est prêt à recevoir ses hôtes auxquels s'offre un choix de champagnes remarquable.

Facing page: Refined details, like the vase collection matching the wallpaper. *Above:* In front of La Bauhinia's emblematic orchid, the tableware designed by Pierre-Yves Rochon. *Following pages:* Bedecked in celadon green and red, the restaurant is set to welcome its guests with a remarkable range of champagne.

ailes de cygne (voir illustration page 40). Aujourd'hui, ce même décor sert de cadre à des fiançailles très parisiennes, de somptueux mariages et des événements de prestige. Toutefois le décor raffiné de ces deux salons ne saurait rivaliser avec le faste du troisième. Le Grand Salon exalte l'opulence du Second Empire. Des miroirs rehaussés de lambris, soulignés par un fil d'or, reflètent la lumière qui traverse les portes-fenêtres et s'accroche aux pampilles des lustres de cristal. On imagine aisément les bals que donnait le prince Bonaparte pour les débuts dans le monde de sa fille unique, Marie.

La chevelure parée de diamants et d'aigrettes, habillées par Paul Poiret, les jeunes beautés valsaient au bras de leurs cavaliers, sans prêter attention aux précieuses boiseries blanc et or et parsemées d'abeilles.

Plus sombre, dans son écrin d'acajou, l'ancienne salle à manger réunit d'impressionnants trophées militaires à la gloire de Napoléon Ier. C'est à présent un salon de réception, dont le parquet Versailles, restauré et reposé latte par latte, nécessite des heures d'entretien chaque nuit, après les festivités de la veille.

Il faut quelques minutes pour réaliser que nous sommes bien à Paris et non dans un rêve éveillé…

L'animation qui règne à toute heure du jour, des salons aux restaurants en passant par le bar, prouve que le pari est gagné. Le lien entre l'Asie et Paris est noué et les Parisiens ont adopté ce lieu pour leurs rendez-vous, que ce soit pour déjeuner ou pour dîner, ou simplement pour prendre une tasse de thé.

SAVEURS D'ORIENT ET D'OCCIDENT

Cet aspect emblématique de la culture nationale a donc fait l'objet de soins particulièrement attentifs. Dans ce domaine aussi, l'hôtel s'est hissé rapidement au plus haut niveau tout en infusant l'esprit de la maison dans ses différents restaurants.

Le choix de Philippe Labbé, chef deux fois étoilé, réputé pour la finesse de ses mets dans un célèbre restaurant de la Côte d'Azur, s'avérait donc logique.

ode to Second-Empire opulence. Mirrors enhanced with wood paneling, and accentuated by a lick of gold, reflect the light that passes through the French doors and clings to the drop beads of the crystal chandeliers. One can easily imagine the balls once held here by Prince Bonaparte for the socialite debut of his only daughter.

Their hair adorned with diamonds and aigrette feather ornaments, in dresses by Paul Poiret, young beauties would waltz on the arm of their escorts, oblivious to the precious white-and-gold wainscoting studded with bees. The darker mahogany setting of the former dining room showcased Napoleon I's impressive military trophies. Now a reception room, its Versailles parquet, whose floorboards were restored and repositioned one by one, requires hours of nightly maintenance after a day of festivities.

It takes a moment to remember that you are still in Paris and not merely daydreaming. The lively atmosphere in the lounges, restaurants, and bar at any time of day or night is proof alone of the winning wager. A link has indeed been forged between Paris and Asia, and Parisians have been eager to adopt this princely locale as their meeting place of choice, whether for lunch or dinner, or simply to enjoy a cup of tea.

FLAVORS OF EAST AND WEST

Being the iconic aspect of national culture that it is, cuisine received Shangri-La Hotels and Resorts group's utmost attention. And in this respect, too, the hotel went to great lengths to infuse its restaurants with its house style. Philippe Labbé, with two Michelin stars to his credit and a reputation for delicate cuisine at a famous restaurant on the Côte d'Azur, proved to be the logical choice of chef.

As early as 1997, he felt the call of Asia and had the opportunity to work at the Petrus, one of Hong Kong's finest restaurants and also owned by the Shangri-La Hotels and Resorts group. This experience allowed him to become acquainted with the niceties of Chinese cuisine. Combining two different

Page de gauche : L'Otak Otak, une succulente spécialité indonésienne à base de cabillaud préparée par l'équipe de Philippe Labbé, à déguster par exemple à la table 32, l'une des plus agréables de la mezzanine. *Ci-dessus :* La salade de pamplemousse Yam Som-o aux crevettes est une spécialité thaïe qui s'accompagne d'un vin blanc ou même d'un champagne millésimé. *Double page suivante :* Parfait équilibre entre le raffinement de la table et de la gastronomie : la présentation traditionnelle de l'Otak Otak dans sa papillote fermée.

Facing page: Otak Otak, a delicious Indonesian codfish specialty prepared by Philippe Labbé's team, can be savored at Table 32, one of the best on the mezzanine level. *Above:* The Yam Som 'O grapefruit salad with shrimp is a Thai specialty that is served with white wine or even vintage champagne. *Following pages:* A perfect balance between the elegance of presentation and gastronomy, Otak Otak is traditionally served in its closed papillote.

Dès 1997, il a ressenti l'appel de l'Asie et a eu la chance de travailler au Petrus, un des meilleurs restaurants de Hong Kong, appartenant au groupe Shangri-La Hotels and Resorts. Cette expérience lui a permis de s'initier aux raffinements de la cuisine chinoise. Alliant deux savoir-faire différents à son talent naturel, et possédant une vertu fort appréciée en Extrême-Orient, la modestie, il a été nommé au poste de chef exécutif du Shangri-La Hotel, Paris, à la tête d'une brigade de 70 personnes. L'objectif de ce technicien, précis et méticuleux dans son travail et son organisation, n'a jamais dévié : la quête de la perfection culinaire.

Deux lieux mettent à l'honneur deux atmosphères et deux styles de cuisine différents. Au cœur de l'hôtel, La Bauhinia propose dans un esprit « lounge », des plats français et d'authentiques spécialités asiatiques. « Je souhaite, explique le chef, que nos convives venus d'Indonésie, de Chine, de Thaïlande ou de Malaisie retrouvent leurs mets préférés à notre table, et que les Parisiens puissent les goûter dans leur authenticité, tout en proposant à côté une cuisine très française. Il ne s'agit pas de *fusion food* mais de cuisine respectant les saveurs des deux continents. »

Sous le grand lustre en verre opaque, le déjeuner, servi dans des assiettes où s'est posée une orchidée, est un délice. Accompagné d'une carte des vins et enrichi d'une offre unique de thés, le menu donne le ton. Yam Som-o, la salade de pamplemousse aux crevettes l'emportera-t-elle sur les endives de pleine terre braisées à la crème de truffe blanche ? Les noix de Saint-Jacques de la baie de Seine voleront-elles la vedette au Curry Laksa, un plat de Malaisie qui propose un émincé de poulet, des vermicelles de riz et des crevettes dans un bouillon onctueux au lait de coco ? Les desserts de François Perret qui vont du sorbet Yuzu (un délicieux petit citron japonais) aux profiteroles à la mangue et au sésame réuniront tous les suffrages par leur légèreté et leur fraîcheur.

Ouvert uniquement le soir, L'Abeille, le restaurant à la gloire de la gastronomie française, accueille un petit nombre de fins gourmets dans une

skills with his natural talent, and possessing a virtue much appreciated in the Far East—modesty— Labbé was appointed Shangri-La Hotel, Paris' Executive Chef, heading a brigade of 70 people. The objective of this gastronomic wizard, always precise and meticulous in his work, both inside and outside the kitchen, has never wavered: the quest for culinary perfection.

Two venues at Shangri-La Hotel, Paris offer very different atmospheres and styles of cuisine. At the heart of the hotel, La Bauhinia serves French dishes and authentic Asian specialties in a lounge setting. "I want our guests from Indonesia, China, Thailand, or Malaysia to be able to find their favorite dishes at our table," explains the chef, "and Parisians to be able to sample authentic versions of them. But at the same time, we also offer very French cuisine. This is not fusion food but cuisine that respects the flavors of both continents."

Beneath a grand, opaque glass chandelier, guests delight over their orchid-topped luncheon plates. Accompanied by a wine list and a distinguished selection of teas, the menu sets the tone. Will Yam Som O (a Thai grapefruit salad with shrimp) prevail over open-ground endives braised in white truffle cream? Will scallops from the Baie de Seine steal the limelight from Curry Laksa, a Malaysian dish of shredded chicken, rice vermicelli, and shrimp served in a creamy coconut-milk broth? François Perret's desserts ranging from *yuzu* (a flavorful, small Japanese lemon) sorbet to profiteroles with mango and sesame seeds have received unanimous approval for their lightness and freshness. Open evenings only, the L'Abeille, a hymn to French gastronomy, plays host to a small number of connoisseurs in a sophisticated and cozy setting, where every detail is a feast for the eyes and the palate. Diners can admire tableware designed by Pierre-Yves Rochon while savoring Philippe Labbé's finely honed, pitch-perfect cuisine. Served in two ways, the blue lobster tail steamed with cabbage from Pontoise may surprise some people, as will the ortolan-style quail raised by Pierre Duplantier. As for the wine, you can put your trust in

Page de gauche : Avant chaque repas, les serveurs écoutent les dernières instructions pour que leur prestation soit à la hauteur d'un établissement de luxe. *Ci-dessus :* Réinterprété par Pierre-Yves Rochon, l'art de la table fait des emprunts à l'opulence chinoise et à l'épure japonaise. *Double page suivante :* En face du restaurant gastronomique L'Abeille, un petit salon intime permet de se retrouver entre amis avant d'aller dîner. Au-dessus du canapé, un paysage d'Estienne.

Facing page: Prior to opening, the waiting staff listens to final instructions to make sure that service is worthy of a luxury establishment. *Above:* Revisited by Pierre-Yves Rochon, the tableware has notes of Chinese opulence and the sleek lines of Japanese elegance. *Following pages:* Opposite L'Abeille, the gourmet restaurant, a lounge provides an intimate pre-dinner meeting place for friends. Above the sofa, a landscape by Estienne.

atmosphère sophistiquée et feutrée. Chaque détail du décor et de l'assiette ravit l'œil et le palais. Tout en admirant la vaisselle dessinée par Pierre-Yves Rochon, on déguste une cuisine ciselée et millimétrée par les soins de Philippe Labbé. Présenté en deux services, le homard bleu avec sa queue en vapeur au chou de Pontoise en surprendra plus d'un, tout comme la caille élevée façon « ortolan » de Monsieur Duplantier.

Côté vins, il faut s'en remettre à l'expertise du sommelier. L'entendre parler des 650 références de la carte ou de la cave du Shangri-la Hotel, Paris qui compte 20 000 bouteilles et, mieux encore, écouter ses conseils dans le choix d'un vin pour accompagner un plat est un moment riche d'enseignements et de bonheurs à venir.

Si les Parisiens n'ont pas, tous les jours, leur couvert mis à l'une de ces deux grandes tables, ils ont vite découvert, peu de temps après l'ouverture de l'hôtel, que les petits salons du Shangri-La Hotel, Paris offrent une halte idéale après quelques heures d'emplettes à Passy ou la visite d'un musée voisin. Les alcôves à l'entrée du lobby sont recherchées pour leur intimité et leur décor pimenté de ravissantes chinoiseries. Vers 17 heures, on s'y donne rendez-vous pour découvrir les rites d'un délicieux cérémonial. « Avec nos origines, le thé est inscrit dans l'ADN du Shangri-La Hotel, Paris ! » commente le maître d'hôtel.

À chaque thé correspond son service de porcelaine et sa théière. Pour le thé chinois – dont un Pu-Er de vingt ans d'âge – c'est un bol en porcelaine diaphane recouvert d'un couvercle qui préserve le parfum de ce breuvage exceptionnel ! Pour les thés en fleurs, c'est une théière en verre et des tasses rouges et pour le thé vert à la japonaise, c'est une théière en fonte noire, simple et fonctionnelle. Vous laisserez-vous tenter par un de ces fameux *cupcakes* de François Perret servis à l'unité sous une cloche de verre ou en pyramide crémeuse, façon mont-blanc ?

Ce pur moment de luxe est un rêve abordable qui permet de goûter voluptueusement à la vie de palace, en attendant d'y déposer vos valises, le temps d'un séjour idyllique.

---

the sommelier's expert knowledge. Listen to him describe the 650 entries on the wine list or the 20,000 bottles in the hotel cellar, or, better yet—and for a delectable preview of what is to follow—ask his advice about which wine to drink with your meal.

While Parisians may not sup daily at either of these gourmet tables, they were quick to discover, once the hotel opened, that Shangri-La Hotel, Paris' smaller lounges offer a perfect break after a few hours of shopping on the fashionable rue de Passy or a cultural visit to one of the nearby museums. The alcoves off the lobby entrance are sought after for their privacy and charming style brightened with Chinese décor. Around five o'clock in the afternoon, guests gather here to discover the rites of a delicious ceremony. "Given our origins, tea is in the Shangri-La Hotel, Paris' DNA!" muses the headwaiter. Each type of tea has its own china service and teapot. For Chinese tea—including a twenty-year-old *pu'er* variety—this means a diaphanous bone-china bowl with a lid to preserve the flavor of this exceptional brew! Floral teas are served in glass teapots and red cups, while Japanese green tea comes in a simple and functional cast-iron teapot. Will you let yourself be tempted by one of the hotel's famous cupcakes by François Perret, served individually in a bell jar or as a creamy pyramid, Mont-Blanc style?

This moment of pure luxury provides a voluptuous and affordable taste of palatial life—until you decide to drop off your suitcases and extend the dream for the space of an idyllic break.

Ci-dessus et page de droite : En cuisine, le chef doublement étoilé Philippe Labbé prépare les mets très fins qui seront servis à L'Abeille, dont la carte change avec les saisons : ici un cochon de lait ibérique, des langoustines royales et un bar de ligne. Le chef sommelier Cédric Maupoint choisit les vins qui les accompagneront.

Above and facing page: In the kitchen, the chef Philippe Labbé, with two Michelin stars to his credit, prepares the fine fare to be served at L'Abeille, where the menu changes with each season; shown here: Iberian suckling pig, royal langoustine, and sea bass. Head sommelier Cédric Maupoint selects the wines to accompany each dish.

CHAMBRES AVEC VUE
Voir le portfolio des chambres pages 151 à 195

Si vous projetez de descendre au Shangri-La Hotel, Paris lors d'un prochain séjour à Paris, la chance vous sourit. Les égards dont vous serez l'objet vous raviront : dès votre arrivée, le portier vous accueillera personnellement et vous accompagnera jusqu'à la réception. Et puis, durant toute la durée de votre séjour, chaque membre du personnel se souviendra de votre nom et fera l'impossible pour vous être agréable. Mais avant d'explorer le quartier ou de vous hâter vers un rendez-vous d'affaires, vous n'aurez qu'une envie, découvrir votre chambre ou, qui mieux est, votre suite. Il faut dire que les suites, d'un esprit différent, sont d'un luxe et d'une beauté à couper le souffle !

Faisons un rêve et imaginons de passer un moment dans trois de ces appartements privés... les fameuses suites Signatures ! Richard Martinet a fait des miracles et réussi à recréer de magnifiques volumes à partir d'espaces réduits : un tour de force qui tient de la magie !

Située au cinquième étage de l'hôtel, la suite Chaillot offre avec sa terrasse en angle une vue incomparable sur la tour Eiffel et les bords de Seine. Le jour, le coup de cœur est garanti et, quand le soleil se couche et que la tour scintille de ses dizaines de milliers d'ampoules, le spectacle est tout simplement féerique. Le décor très parisien au subtil dégradé de gris privilégie le style contemporain avec des meubles sobres et des boiseries en ébène de Macassar. Des touches luxueuses charment le regard sans rien sacrifier au confort. La salle de bains tout en marbre illustre le raffinement du palace avec un sol de mosaïque en pâte de verre, une baignoire et une douche équipées d'une robinetterie en cristal qui fait écho aux luminaires.

Deux étages plus haut, la suite Shangri-La possède une terrasse panoramique, tout en longueur, qui se trouve au même niveau que le premier étage de la tour Eiffel et offre une vue plongeante sur le mur végétal du musée du quai Branly. C'est l'endroit rêvé pour une réception intime ou un dîner romantique

ROOMS WITH A VIEW

See Shangri-La Hotel's portfolio of rooms pages 151 to 195

If you are planning to stay at Shangri-La Hotel, Paris during your next visit to Paris, you're in luck! The special treatment you will receive, like the doorman welcoming you personally upon your arrival and escorting you to the front desk, will surely win you over. Throughout your stay, each staff member will remember your name and go to any lengths necessary to please you. And before touring the neighborhood or rushing off to a business appointment, you will not be able to resist exploring your room or—better yet—your suite! Indeed, the beautiful and luxurious suites, each different in tone, are simply breathtaking. Close your eyes and just imagine spending time in three of these private apartments, the famous Signature Suites. Richard Martinet has worked miracles and managed to recreate magnificent volumes from small spaces—a tour de force with something magical about it!

Situated on the hotel's fifth-floor, La Suite Chaillot, with its corner terrace, offers an unparalleled view of the Eiffel Tower and the banks of the Seine. By day, it is a real showstopper and, when the sun goes down and the "Iron Lady" glitters her tens of thousands of lights, the spectacle is truly enchanting. The typically Parisian décor with its subtle shades of gray favors a contemporary interior: furniture with sober lines and Makassar ebony wood paneling. Luxurious touches delight the eye while offering maximum comfort. The fully marbled bathroom exudes palatial refinement with its glass mosaic floor and bath and shower fitted with crystal faucets that echo the lamps.

Two stories higher, La Suite Shangri-La boasts a long panoramic terrace—from where the first-floor of the Eiffel Tower stands at eye level—that overlooks the Musée du Quai Branly's green wall. It is the ideal locale for a private reception or a romantic dinner catered by the hotel's nonintrusive in-room dining service. Delight your palate by ordering Philippe Labbé's exotic specialty: Otak-Otak, cod fish en papillote with basil and coconut milk, accompanied

Page de gauche : Champagnes rosés ou millésimés peuvent être servis au verre. Rien de tel qu'un délice au chocolat pour accompagner un bon café.
Ci-dessus : Le chef pâtissier, François Perret, est trop occupé par son travail d'orfèvre pour profiter de la vue sur la tour Eiffel depuis son laboratoire.

Facing page: Pink or vintage champagne can be ordered by the glass. With a good cup of coffee, there's nothing like a delicious chocolate dessert. *Above:* Pastry chef François Perret is too engrossed in his intricate work to enjoy the view of the Eiffel Tower from his workspace.

Ci-dessus : L'abeille à qui le restaurant doit son nom s'est posée sur les rideaux de brocard. Les feuilles géantes de colocasia protègent l'intimité d'une table. À l'entrée du restaurant une commode en miroir rappelle le style d'Armand Albert Rateau. Détail de l'accoudoir d'un fauteuil Directoire. *Page de droite :* De délicats photophores en cristal éclairent porcelaine et argenterie.

Above: A bee, which gave the restaurant its name, graces the brocade curtains. Giant colocasia leaves ensure a table's privacy. At the entrance to the restaurant, a mirrored commode is reminiscent of the style of Armand Albert Rateau. Armrest detail of a Directoire armchair. *Facing page:* The light from dainty crystal candleholders illuminates the china and silverware.

Double page précédente : Le décor du restaurant cantonais, le Shang Palace, séduit par son raffinement. *Ci-dessus et ci-contre :* Dans une ambiance sereine et luxueuse, chaque tableau, chaque accessoire est digne d'un palais de l'empire du Milieu.

Preceding pages: The décor of the Cantonese restaurant, Shang Palace, is beguiling in its elegance. *Above and facing page:* In a serene and luxurious atmosphere, each painting and accessory is worthy of a Middle Kingdom palace.

orchestrés discrètement par le service de restauration en chambre. Créez la surprise et commandez la spécialité exotique de Philippe Labbé, l'otak-otak, une papillote de cabillaud au basilic et lait de coco, accompagné d'un champagne rosé comme le Louis Roederer Cuvée Cristal ou, pour bien commencer la journée, faites-vous servir le petit déjeuner sur un plateau d'argent avec au menu ces fameux œufs de Marans ! Mise en scène dans un esprit contemporain, cette suite a été imaginée dans l'esprit d'un loft. Pour magnifier l'espace, les obstacles visuels on été supprimés de manière à laisser la vedette au panorama unique, dévoilé par d'immenses baies vitrées. Sur les parois couleur sable, l'architecte a posé des panneaux de cuir et accroché un tableau abstrait de Zao Wou-ki, un ami personnel du propriétaire. Du fond d'un grand lit garni d'oreillers douillets ou dans la salle de bains attenante, de la baignoire équipée d'un système de balnéothérapie, on découvre l'étonnante structure de fer, dans toute sa majesté. Le comble du luxe est de réserver la suite avec les trois chambres attenantes et communicantes, privatisant ainsi tout l'étage.

Seule des trois suites à être inscrite aux Monuments historiques, la suite Impériale se trouve au deuxième étage de l'hôtel, dans l'ancien appartement privé de Roland Bonaparte donnant sur l'avenue d'Iéna. Le style éclectique de l'époque est superbement réinterprété dans ce lieu d'exception, à tel point qu'on oublie qu'on est dans un hôtel. Certains s'étonnent de ne pas voir la tour Eiffel, la raison en est simple. Roland Bonaparte, qui a étudié soigneusement le plan de sa future demeure, a forcément choisi la vue la plus agréable pour sa chambre, pensant comme tous ses contemporains que les jours de la construction métallique étaient comptés. Reflétant la passion de son illustre occupant pour les livres, l'entrée de la suite est conçue comme un bureau bibliothèque d'esprit masculin en contraste avec la salle de bains juste en face, aménagée comme un boudoir. Arrivant à point comme un heureux dénouement, le grand salon communiquant avec une salle à manger tout aussi raffinée, nous ouvre ses portes. Les deux salles de réception ont gardé leur impressionnante hauteur de plafond et leurs moulures d'origine tout en cachant des

by lashings of pink champagne, like Louis Roederer Cuvée Cristal, or start the day in style with a full breakfast, including Marans chicken eggs, served on a silver platter! This suite's contemporary loft style was designed to maximize space. Visual obstacles have therefore been removed, so that the exceptional panorama, unveiled by huge bay windows, steals the show. On the sable-colored walls, the architect has set leather panels and hung an abstract painting by Zao Wou-ki, a personal friend of the owner. From the comfort of your bed, your head resting against fluffy pillows, or from the whirlpool bathtub in the adjoining bathroom, feast your eyes on the Iron Lady in all her majesty. The height of luxury would be to reserve the suite and the three adjoining rooms, so that you and your guests can have the entire floor to yourselves!

The only one of the three suites to be listed as a French Heritage Site, La Suite Impériale is located on the hotel's second floor, in what used to be Roland Bonaparte's private apartments, overlooking avenue d'Iéna. The eclectic period style is superbly revisited in this exceptional room—so much so that you will forget that you are in a hotel! Some may be surprised not to see the Eiffel Tower from this suite, but there is a simple explanation for this: Roland Bonaparte, who studied the layout of his future home with great care and obviously chose an exceptional view for his room, was convinced, like all of his contemporaries, that the days of the metallic structure were numbered. Reflecting its illustrious occupant's passion for books, the suite's entrance is designed as a bookcase, masculine in style, in contrast to the adjoining bathroom, decorated as a boudoir. Like a perfectly timed happy ending, the large sitting-room area, with its adjoining and similarly elegant dining room, opens its doors to us. Both reception rooms have retained their impressive high ceilings and original moudings, while concealing the complex technological equipment indispensable to a luxury hotel. Dressed with velvet drapes and blue silk to echo the Chinese porcelain, the windows open onto place d'Iéna with a view of a landmark building from the 1930s: the Economic and Social Council. The master bedroom and its bathroom of white marble embellished with gold

Page de gauche et ci-dessus :
L'élégance et le raffinement du décor sont en harmonie avec la cuisine récompensée par une première étoile (guide Michelin 2012). La pâte des Dim Sum servis au déjeuner est d'une légèreté sans égale (ici Dim Sum aux Saint-Jacques et aux crevettes au second plan). À droite, les très savoureuses crevettes sautées aux légumes de saison.

Above and facing page :
The elegance and sophistication of the décor are in harmony with the cuisine, rewarded by his first Michelin star in 2012. The pastry wraps of the Dim Sum served at lunchtime are unparalleled in their lightness (here Dim Sum with scallops and shrimp in the background). Right, highly succulent shrimp sautéed with seasonal vegetables.

Le canard laqué façon pékinoise est présenté en deux services : la peau croustillante roulée dans une crêpe à la farine de riz, avec du concombre et de la cébette émincée, en constitue le premier (ci-dessus), prêt à être servi à une table en alcôve (à droite).

The Peking-style duck comes in two courses. In the first, the crispy skin is wrapped in a ground rice pancake, with cucumber and finely shredded spring onion (above), ready to be served at an alcove table (opposite).

Page de gauche : Saumon « Lo Hei » : saumon cru, fruits et légumes émincés et julienne de méduse. *Ci-dessus :* Boules de tofu fumé et émincé de pigeon en feuilles de laitue, le thé Lungehing première récolte est servi avec le repas.

"Lo Hei" salmon: raw salmon, sliced fruit and vegetables and jellyfish julienne (*left*). Balls of smoked tofu and shredded pigeon in lettuce leaves. First flush lungehing tea accompanies the meal (*above*).

équipements technologiques complexes mais indispensables à un établissement de luxe. Habillées de rideaux de velours et de soie bleus pour faire écho aux porcelaines de Chine, les fenêtres s'ouvrent sur la place d'Iéna où l'on aperçoit un bâtiment emblématique des années 1930, le Conseil économique et social. Dans la chambre principale et sa salle de bains en marbre blanc rehaussé d'or, le mobilier Directoire s'inscrit avec justesse et élégance dans ce cadre exceptionnel. « Quand j'ai travaillé sur ce décor, rappelle Pierre-Yves Rochon, je pensais au client qui allait découvrir le lieu. Je lui ménageais des surprises et des éblouissements… J'ai eu la chance de collaborer avec des artisans qui sont en fait de véritables artistes. C'est pourquoi je n'impose jamais de style particulier. Je m'approprie l'histoire du bâtiment avec ses spécificités et ses contraintes et puis je commence à dessiner. Mon style ? C'est un savoir doublé de savoir-faire !.. »

Ne pensez pas que l'attention des deux experts en architecture et décoration se soit focalisée uniquement sur les trois suites signatures. S'ouvrant en majeure partie sur la tour Eiffel et la Seine, les autres suites et chambres rivalisent de charme. Baignées de lumière, elles offrent un décor qui illustre une des thématiques de l'hôtel dans une déclinaison de bleu, blanc, crème et doré, rehaussée par le mobilier de facture classique. Autant que l'harmonie des couleurs et des lignes, le confort s'exprime avec un luxe de raffinement où la technologie est soigneusement cachée. L'écran de télévision, par exemple, disparaît dans un grand miroir, sur simple pression du doigt ! Autre attention délicate : les chambres bénéficient d'un triple éclairage qui varie selon les heures du jour et de la nuit. Pour ne pas troubler le sommeil de votre conjoint, un chemin de lumière vous guide depuis la tête de lit jusque dans la salle de bains.

Qu'ils aient réservé la suite Impériale ou une chambre plus modeste, les voyageurs sont accueillis avec la même courtoisie et de délicates attentions. À peine sont-ils arrivés qu'on leur apporte sur un plateau une ravissante boîte de laque noire qui contient, nichées dans un écrin de soie bleue, une théière et deux tasses. Cette petite cérémonie du thé, dans l'intimité de sa chambre,

provide the perfect foil to the elegant Directoire-style furniture. "While working on this décor," recalls Pierre-Yves Rochon, "I had in mind the guests who would be staying here. I wanted to surprise and dazzle them. I was lucky enough to work with craftsmen who are in fact true artists. That is why I never imposed any particular style. I assimilated the building's history, with its specificities and constraints, and then I began to draw. My style? A combination of knowledge and know-how!"

Do not be fooled into thinking that the two experts focused their attention solely on the three Signature Suites. The other suites and rooms, most of which overlook the Eiffel Tower, vie with each other for charm. Light and bright, they offer a setting that illustrates one of the hotel's main themes in a palette of blue, white, cream, and gold, enhanced by classic furniture. Like the harmony of line and color, comfort takes the form of luxurious sophistication, and technology remains carefully hidden. A television screen, for example, disappears into a large mirror at the push of a button! Another nice touch lies in the triple-lighting system that varies according to the time of day. In order not to disturb your partner's slumber, a trail of light will guide you from your bed to the bathroom.

Regardless of whether a guest has reserved La Suite Impériale or a more modest room, everyone who stays at Shangri-La Hotel, Paris receives the same first-class treatment and discreet attention. As soon as you are settled in your room, a tray will be ushered in with a beautiful black lacquer box containing a teapot and two cups nestled in lush blue silk. This small tea ceremony, in the privacy of your room, embodies the spirit of Shangri-La Hotel, Paris. By savoring the moment, guests can relax and sip a cup of Chung-Hao (this precious elixir, made from green tea mixed with jasmine, has been the beverage of choice of emperors since the Song Dynasty), as they admire the jasmine flowers opening before their eyes.

Less costly but equally delightful, two suites and two single rooms on the third floor even have a rooftop terrace where guests can enjoy a leisurely

Page de gauche : Dans le hall d'entrée, le personnel réservé à l'accueil s'affaire pour que le séjour de chaque hôte soit un moment inoubliable.
Ci-dessus : L'escalier d'honneur conduit au palier de l'étage historique, encadré par des colonnes jaspées et des panneaux de marbre. Un coussin brodé posé sur le canapé Directoire.

Facing page: In the entry hall and at the front desk, the hotel's staff works hard to make every guest's stay an unforgettable experience.
Above: The grand staircase leads to a historic landing, framed by jasper columns and marble panels. An embroidered cushion placed on the Directoire sofa.

Ci-dessus : La couronne impériale enrichit le garde-corps du palier. Posé sur une console devant le panneau de marbre, un vase Médicis en cristal illustre l'opulence du lieu.
Page de droite : Aménagé pour un dîner de gala, le Grand Salon retrouve une nouvelle vie tandis que les lustres de cristal se multiplient à l'infini dans le reflet des miroirs.

Above: The imperial crown enriches the landing railings. Set upon a console in front of the marble panel, a crystal Medici vase reflects the opulence of the setting.
Facing page: Dressed for a gala dinner, the Grand Salon is suffused with new life, while the mirrors reflect an endless sequence of crystal chandeliers.

incarne l'esprit du Shangri-La Hotel, Paris. Tout en savourant un moment de détente, ils admirent les fleurs de jasmin qui s'épanouissent dans les tasses et dégustent comme un précieux élixir le Chung-Hao, breuvage favori des empereurs depuis la dynastie Song, élaboré à partir de thé vert mêlé au jasmin.

Moins onéreuses mais tout aussi délicieuses, deux suites et deux chambres simples au troisième étage possèdent une terrasse sur le toit. On y paresse en prenant son petit déjeuner ou on s'y fait servir au milieu de la nuit (jusqu'à 6 h 30 du matin) un plateau de mezzés libanais ou autres délices, accompagnés d'une flûte de champagne ou d'un verre de château-d'Yquem, pour calmer une petite faim et assumer avec humour et gourmandise les tourments du décalage horaire. Nos favorites : les suites Duplex au troisième étage, ou bien la 606, au sixième, en angle, spacieux et intime à la fois, où l'on a l'impression d'être chez soi.

Pendant toute la durée de votre séjour, vous apprécierez l'attention, la courtoisie et la discrétion du personnel et tout particulièrement, les conseils précieux de Tony Le Goff. Le chef concierge, que l'on reconnaît à son gilet en soie et aux fameuses clefs d'or ornant sa veste, est un ancien professeur d'histoire qui met au service de ses clients sa solide culture et son insatiable curiosité pour tout ce qui concerne Paris et surtout « son quartier », le 16e arrondissement.

« Les amateurs d'architecture qui sont certes à la fête sur la butte Chaillot, en connaissent-ils toutes les richesses ? » se demande cet humaniste distingué, réjoui de partager son savoir. Dix-neuf immeubles signés Guimard avec leurs façades ornées de sculptures et leurs balcons en fer forgé les attendent. Les visiteurs passionnés de littérature se doivent d'aller rendre hommage à Honoré de Balzac, dont la maison, aujourd'hui ouverte au public, est tout proche du Trocadéro. Les amateurs de tableaux impressionnistes choisiront de se rendre au musée Marmottan, un ancien pavillon de chasse situé près des jardins du Ranelagh, où ils pourront admirer un ensemble éblouissant de 94 tableaux et carnets de dessins de Claude Monet. À moins qu'une exposition de la Fondation Mona-Bismarck ne les attire. Sur les quais de la Seine, au pied de l'hôtel, ce lieu intime peu connu était l'hôtel particulier de l'une des femmes les plus élégantes du Paris des Années folles. Veuve d'un milliardaire américain,

breakfast or, better yet, a midnight supper of Lebanese mezze or other delicacies (service available until 6:30 a.m.) served with lashings of champagne or a bottle of Château d'Yquem—what better way to quell your hunger pangs and recover from the ravages of jetlag with humor and indulgence? Our favorites are the Suites Duplex on the third floor and Room 606 on the sixth floor: a corner room, both spacious and cozy, where you will feel at home in—a wise and judicious choice!

The courteous and discreet treatment bestowed upon you throughout your stay will begin with the valuable advice of Tony Le Goff, the head concierge. Recognizable by his silk waistcoat and the famous gold keys that adorn his jacket, Le Goff, a former history teacher, seeks to serve guests by sharing his great knowledge and insatiable curiosity about anything related to Paris and especially "his neighborhood," the sixteenth arrondissement.

"Of course architecture lovers will have a ball on the Chaillot hill, but are they aware of *all* its treasures?" muses this distinguished humanist, delighted to share his expertise. Awaiting them are nineteen buildings by Hector Guimard with wrought-iron balconies and facades adorned with sculptures. Those with a passion for literature should pay homage to Honoré de Balzac, whose house near the Trocadéro is now open to the public. Amateurs of Impressionist paintings will opt for the Musée Marmottan, a former hunting lodge located near the Ranelagh gardens, where visitors can admire a dazzling display of ninety-four paintings and sketchbooks signed by Claude Monet. Or sightseers might prefer to take in an exhibition at the Mona Bismarck Foundation. On the banks of the Seine, right at the foot of the hotel, this intimate and little-known site was the townhouse of one of the most elegant women in the world during the Roaring Twenties. The widower of an American billionaire, the beautiful Mona married the grandnephew of Chancellor Otto von Bismarck. The luxurious rooms reflect her taste and also house non-profit Franco-American associations, including the American Club of Paris.

la belle Mona épousa le petit-neveu du chancelier Otto Bismarck. Les salons luxueux reflètent ses goûts et accueillent également des organisations franco-américaines à but non lucratif dont The American Club of Paris.

Le succès du Shangri-La Hotel, Paris repose sur la qualité du personnel, souligne le directeur de l'hôtel, Alain Borgers. « C'est une affaire d'hommes et de femmes venus de Chine, du Japon, d'Europe, donc d'horizons très différents, qui mettent leur cœur, leur esprit et leur énergie dans la mission qui leur a été confiée. Se relayant 24 heures sur 24, trois cent cinquante personnes s'évertuent à combler le moindre désir des clients asiatiques et européens. Le personnel est comme un corps de ballet, parfaitement choré-graphié, qui possède une remarquable flexibilité et toujours une extrême courtoisie. »

Pour illustrer les propos d'Alain Borgers, Tony Le Goff ajoute : « Notre service de réception est assuré par six concierges. Mais avant même de franchir le seuil de l'hôtel, les clients sont accueillis par le portier et une équipe de chasseurs, de voituriers et de bagagistes. Le Shangri-La Hotel, Paris est unique par la qualité de son accueil. C'est aussi un bijou architectural qui crée une parfaite alchimie entre le raffinement à la française et la splendeur des arts d'Extrême-Orient. C'est donc le privilège et le devoir de nous tous de traduire à chaque niveau cette notion de chef-d'œuvre. »

Cette mission passionnante qui, malgré l'humilité dont doit faire preuve chaque membre du personnel, place désormais le Shangri-La Hotel, Paris parmi les grands palaces parisiens. L'ouverture de ce sublime hôtel, différent de tous les autres parce qu'il est conçu comme une maison intime et luxueuse, apporte une bouffée d'air frais à la profession et, en incarnant le rêve d'une vie, transforme ainsi le coup d'essai en coup de maître !

Shangri-La Hotel, Paris'success is based on the quality of its staff, em-phasizes the hotel's General Manager Alain Borgers. "It has to do with men and women from China, Japan, and Europe—and thus from very different backgrounds—who put their hearts, minds, and energy into the mission entrusted to them. Working in shifts, twenty-four hours a day and seven days a week, these 350 people make every effort to satisfy their Asian and European guests' every wish. The personnel is like a ballet company: perfectly choreo-graphed, and also remarkably flexible and always extremely courteous."

To illustrate Alain Borgers'words, Tony Le Goff adds: "We have six concierges at the front desk. But before they even cross the threshold, guests are first greeted by the doorman and a team of bellboys, valet parking attendants, and porters. Shangri-La Hotel, Paris is an architectural gem that creates a perfect alchemy of French sophistication and the splendor of Far Eastern arts. It is therefore our privilege and duty to convey this notion of excellence at every level."

Because of this exciting mission—and despite the humility that each staff member is obliged to show—the Shangri-La is now among Paris'top luxury hotels. The opening of this magnificent hotel, unique in its design as an intimate and luxurious home, has been like a breath of fresh air in the hotel business, and, by embodying his lifelong dream, it has transformed trial stroke into a masterstroke!

Ci-contre : Blotti entre les colonnes, ce petit salon, groupé sur un tapis précieux, apporte une note d'intimité au sein d'un décor grandiose. *Pages suivantes :* Dans le miroir ovale de la suite Impériale se reflète une scène romantique et intime.

Facing page: Nestled between the columns, this small sitting room carpeted with an exquisite rug brings a touch of intimacy to a grandiose setting. *Following pages:* The oval mirror in La Suite Impériale reflects a romantic and intimate scene.

« … il éprouva l'impression
extraordinaire que son corps
et son esprit trouvaient leur juste place.
La chose était sûre et certaine :
séjourner à Shangri-La lui plaisait,
tout simplement. »

Lost Horizon, James Hilton

SUITES & CHAMBRES
Suites & bedrooms

"… he felt an extraordinary sense
of physical and mental settlement.
It was perfectly true;
he just rather liked being at Shangri-La"

Lost Horizon, James Hilton

LA SUITE CHAILLOT
La Suite Chaillot

Page de gauche et ci–dessus :
Dans la suite Chaillot au cinquième
étage, confort et luxe se déclinent sur
une toile de fond classique et raffinée.
Double page suivante : Le salon est décoré dans
un élégant camaïeu de gris auquel fait
écho le feuillage du grand panneau mural.

Facing page and above:
In La Suite Chaillot on the fifth floor,
comfort and luxury play to a backdrop
of classic elegance. *Following pages:* Elegant
shades of gray decorate the lounge, echoed
by the foliage of the large wall panel.

À gauche et ci-dessus : Dès que les voyageurs arrivent dans leur suite, on leur apporte le thé de l'hospitalité. C'est un thé vert Sencha, présenté dans un écrin précieux de laque noire, qui tient bien au chaud la théière et les bols.

Left and above: Upon their arrival in their suite, travelers are served a welcome cup of tea. It is a Sencha green tea, presented in a lovely black lacquer container that keeps the teapot and bowls warm.

Ci-dessus : Légèrement incurvée, une table basse ajoute une note orientaliste au salon. Les poignées des placards traduisent le raffinement du décor. Le mini-bar est bien fourni en boissons de tous pays. *Page de droite :* Les coussins brodés des fauteuils ajoutent au confort des sièges. *Double page suivante :* Dans la chambre, les tons neutres du décor se réchauffent grâce à quelques touches beiges et dorées.

Above: The slight curve of a coffee table adds an Asian note to the lounge. The cupboard handles reflect the sophistication of the décor. The mini-bar is well stocked with beverages from all countries. *Facing page:* The embroidered cushions on the armchairs bring added comfort to the seats. *Following pages:* In the bedroom, a few touches of beige and gold bring warmth to the neutral tones of the décor.

LA SUITE IMPÉRIALE

La Suite Impériale

Page de gauche : Encadrée par de somptueux rideaux de velours bleu Nattier, la coiffeuse Empire symbolise à elle seule l'esprit de la suite Impériale. *Double page suivante :* Occupant l'appartement privé de Roland Bonaparte, le salon a gardé son décor blanc et or que met en valeur le bleu des rideaux et des porcelaines chinoises.

Facing page: Framed by sumptuous Nattier-blue velvet drapes, the Empire dresser alone symbolizes the spirit of La Suite Impériale. *Following pages:* This sitting area, where Roland Bonaparte's private apartments used to be, has retained its white and gold décor, a foil to the blue of the drapes and the Chinese porcelain.

Page de gauche : S'ouvrant sur le salon, la salle à manger privée obéit à la même harmonie. Jouant sur le contraste de l'or et de l'azur, le tapis a été tissé spécialement pour la pièce. *Ci-dessus :* 160 mètres de velours bleu ont été utilisés pour les rideaux. Les sous-rideaux sont en soie brodée comme les coussins du lit. Les objets d'art évoquent la Chine impériale. Sur une commode Empire, le bleu cobalt de deux potiches chinoises attire le regard. *Double page suivante :* Luxe, calme et beauté président au décor du salon.

Facing page: Opening onto the sitting room, the private dining room has a similar harmony. The rug, with its contrasting interplay of gold and azure, was custom-woven for the room. *Above:* 525 feet (160 m) of blue velvet were used for the drapes. The under curtains are made of embroidered silk, as are the cushions on the bed. The decorative pieces evoke Imperial China. On an Empire cabinet, two cobalt-blue Chinese vases catch the eye. *Following pages:* The sitting room's décor emanates luxury, calm, and beauty.

Page de gauche et ci-dessus : En marbre blanc souligné d'or, la salle de bains affiche son élégance, mais aussi un confort abouti. Baignoire équipée de balnéo et chromatothérapie, télévision intégrée au miroir antibuée, sol chauffant et autres merveilles technologiques accueillent le voyageur avec un bouquet de roses fraîchement cueillies. *Double page suivante :* Avec son lit à la polonaise, la chambre de la suite Impériale incarne l'idée même de l'élégance à la française.

Facing page and above: In white marble highlighted with gold, the bathroom offers both elegance and comfort. A whirlpool bath with color-therapy fittings, a television incorporated into the anti-mist mirrors, under-floor heating, and other technological marvels await the traveler, along with a bouquet of freshly picked roses. *Following pages:* With its Polish-style canopied bed, the bedroom in La Suite Impériale epitomizes quintessential French elegance.

Ci-dessus : Avec ses rideaux ornés de passementerie raffinée et son précieux mobilier, la salle de bains a été conçue comme un boudoir. *Page de droite :* Dans la chambre, le portrait d'un élégante de la Belle Époque.

Above: With its elegantly trimmed drapes and exquisite furniture, the bathroom is outfitted like a boudoir. *Facing page:* In the bedroom, an elegant portrait from the Belle Époque.

LA SUITE SHANGRI-LA
La Suite Shangri-La

Page de gauche : Un tableau de
Zao Wou-ki pare la suite Shangri-La,
située au septième étage de l'hôtel.
Double page suivante : La vue spectaculaire
depuis le salon de la Suite.
Il est difficile de détacher les yeux
de la dame de fer qui veille sur le salon.

Facing page: A painting by Zao Wou-ki
adorns La Suite Shangri-La, located
on the seventh floor of the hotel.
Following pages: The spectacular view from
the Suite's lounge. It is difficult to take
one's eyes off the Iron Lady who watches
over the sitting room.

Page de gauche et ci-dessus : Décliné dans des tons crème et marron, le salon est mis en scène dans un esprit contemporain pour que les voyageurs apprécient l'art de vivre parisien et le savoir recevoir asiatique. Des soieries luxueuses habillent les sièges et rehaussent le mobilier en ébène de Macassar. *Double page suivante :* Faisant alterner le brillant et le mat, la soie pare le lit et les murs, tout en encadrant les baies vitrées.

Facing page and above: In shades of cream and brown, the sitting room is orchestrated with a contemporary feel, letting guests appreciate Parisian art de vivre and Asian hospitality. The luxurious silk upholstery of the chairs enhances the Makassar ebony of the furnishings. *Following pages:* Alternating matte and gloss silk bedecks the bed and walls and even frames the windows.

Chaque détail témoigne du soin apporté à l'esthétique et au confort. Dans les trois suites Signature, un trait lumineux indique discrètement le chemin de la chambre à la salle de bains. *Ci-dessus :* La robinetterie a été dessinée par Pierre-Yves Rochon. *Double page suivante :* Vue d'une terrasse de l'hôtel, la passerelle Debilly invite à traverser la Seine pour aller à pied au musée du quai Branly.

Every detail reflects the care lavished on aesthetics and comfort. In the three Signature Suites, a trail of light subtly shows the way from the bedroom to the bathroom. Above: Faucets and fittings designed by Pierre-Yves Rochon. *Following pages:* Seen from one of the hotel's terraces, the Debilly footbridge is an invitation to walk across the Seine to the Musée du Quai Branly.

SUITES ET CHAMBRES
Suites and bedrooms

Moins spectaculaires mais aussi
luxueuses que les trois suites Signature,
les autres suites et les chambres
du Shangri-La Hotel, Paris sont
aménagées par Pierre-Yves Rochon,
à la manière d'une maison de famille.
Cette suite Duplex, qui s'ouvre sur
le palais de Chaillot et la tour Eiffel,
propose à ses occupants un salon et une
jolie chambre à l'étage supérieur ainsi
qu'une petite terrasse où il est fort
agréable de prendre un petit déjeuner
en profitant de la vue.

Less spectacular—but just as luxurious
as the three Signature Suites—Shangri-
La Hotel, Paris' other suites and rooms
were designed by Pierre-Yves Rochon
to resemble a family home. This Suite
Duplex overlooking the Palais de
Chaillot and the Eiffel Tower offers its
occupants a sitting room and lovely
upstairs bedroom, as well as a small
terrace, where you can enjoy a leisurely
breakfast while taking in the view.

Ci-dessus et page de droite : Ces chambres standard au décor bleu ont toutes deux vues sur la tour Eiffel. Choisis en fonction de leur beauté et du confort qu'ils apportent, le mobilier et les accessoires traduisent le sens de l'hospitalité cher au Shangri-La Hotel, Paris. *Pages suivantes :* Les femmes de chambre mettent tout leur cœur à l'ouvrage pour rendre cette suite au décor blond aussi accueillant et confortable que possible.

Above and facing page: These standard rooms decorated in blue both enjoy views of the Eiffel Tower. Selected for their beauty and the comfort they procure, the furniture and accessories reflect the sense of hospitality so dear to Shangri-La Hotel, Paris. *Following pages:* The housekeeping staff puts its heart into making this light-toned suite as welcoming and comfortable as possible.

Ci-dessus en haut : Les salles de bains de toutes les chambres affichent leur luxe et leur confort. *Ci-dessus en bas et page de droite :* Avec sa petite terrasse face à la tour Eiffel, la suite 406, déclinée dans un ton champagne, est l'une des plus agréables de l'hôtel. Elle possède une entrée, un salon et une chambre spacieuse.

Above, top: All the rooms' bathrooms offer luxury and comfort. *Above, bottom and facing page:* With its small terrace opposite the Eiffel Tower, Suite 406, decorated in champagne tones, is one of the loveliest suites in the hotel. It has its own private entrance, a sitting room, and a spacious bedroom.

REMERCIEMENTS

L'éditrice remercie les personnalités du Shangri-La Hotel and Resorts,
sans qui ce livre n'aurait pas vu le jour :
Maria Kuhn, directrice de la communication du groupe Shangri-La ;
et au Shangri-La Hotel, Paris : Alain Borgers,
directeur général, Adelaïde de Vivie, directrice de la communication,
Vincent Le Gorrec, directeur des ventes et du marketing,
Tony Le Goff, chef concierge et son assistant Bastien Lalanne.

Merci à tous ceux qui, par leur talent, ont contribué à la création de l'ouvrage :
Christian Sarramon, Dane McDowell, Pierre Rival, Isabelle Ducat,
Bertrand Duhesme, Richard Martinet et son collaborateur Guillaume Potel,
Pierre-Yves Rochon et sa collaboratrice Claire Mabon ; ainsi que M. Gastaldi de la société del Boca,
la société Pierre Frey et Pascal Simonetti.
Enfin des remerciements à tous ceux qui ont aidé l'équipe éditoriale chez Flammarion :
Mathilde Croizeau, Boris Guilbert et Benoit Lafay.

ACKNOWLEDGEMENTS

The editor would like to thank all those at Shangri-La Hotels and Resorts,
without whom this book could not have been written:
Maria Kuhn, Director of Corporate Communications at Shangri-La Hotels and Resorts;
and at the Shangri-La Hotel, Paris: Alain Borgers, General Manager;
Adelaïde de Vivie, Director of Communications; Vincent Le Gorrec,
Director of Sales and Marketing; Tony Le Goff, Head Concierge and his assistant Bastien Lalanne.

Grateful thanks to all those who, through their talents, contributed to this book's creation:
Christian Sarramon, Dane McDowell, Pierre Rival, Isabelle Ducat,
Bertrand Duhesme, Richard Martinet and his collaborator Guillaume Potel,
Pierre-Yves Rochon and his collaborator Claire Mabon; M. Gastaldi from the Del Boca company;
the Pierre Frey design house; and Pascal Simonetti.
Finally, thanks to all those who assisted the Flammarion editorial team:
Mathilde Croizeau, Boris Guilbert, and Benoit Lafay.

Direction de l'édition : Ghislaine Bavoillot
Direction artistique : Isabelle Ducat
Édition : Flavie Gaidon
Traduction en anglais : Susan Schneider
Relecture-correction : Marie Sanson pour le français et Magda Schmit pour l'anglais
Fabrication : Élodie Conjat-Cuvelier
Photogravure : IGS

© Flammarion S.A. 2012

Numéro d'édition : L.01 EBAN 000 237
ISBN : 978-2-0812-5725-2
Dépôt légal : avril 2012

Achevé d'imprimer en mars 2012, en Italie par G. Canale & C. S.p.A.